DE WEG VAN GISTEREN NAAR MORGEN

Olga van der Meer

De weg van gisteren naar morgen

Uitgeverij 'Westfriesland'

Eerste druk in deze uitvoering 2006

NUR 344
ISBN-10: 90 205 2785 1
ISBN-13: 9789020527858

Copyright © 2006 by 'Westfriesland', Hoorn/Kampen
Omslagillustratie: Jack Staller
Omslagontwerp: Van Soelen, Zwaag

HOOFDSTUK 1

Dertig jaar. Dertig jaar die omgevlogen waren, al waren er jaren bij geweest waarin ze had gedacht dat de tijd kroop. Jaren waarin het leek alsof ze nooit groot zou worden. En nu? Nu was ze groot, al heel lang. Maar ze zou de klok het liefst jaren terugzetten.

Mijmerend draaide Eva Lieversen zich nog eens om in haar bed. Het was nog donker buiten, zag ze. Waarom had ze eigenlijk het onzalige plan opgevat om vrij te nemen op haar dertigste verjaardag? Alsof ze hordes visite verwachtte! Het tegendeel was eerder waar. Die avond had ze een, hopelijk, gezellig etentje met haar vier vriendinnen, maar voor de rest kwam er helemaal niemand. Broers of zussen bezat ze niet en haar ouders zaten weer eens in hun huisje op het Franse platteland. De leden van de tennisclub waar ze al sinds jaar en dag speelde en de mensen van de showband waar ze regelmatig mee optrad, had ze niets laten weten en met de medewerkers van het consultatiebureau, waar ze als arts aan verbonden was, ging ze privé niet om.

In het schemerdonker van haar slaapkamer onderwierp Eva zichzelf aan een grondig, psychologisch onderzoek. Waarom vierde ze haar verjaardag niet uitbundig? Waarom geen groot feest voor alle bekenden van de verenigingen waar ze op zat? Tenslotte leidde ze niet bepaald een kluizenaarsbestaan, ze zocht graag het gezelschap van anderen op. Ook al was ze vrijgezel, ze was maar zelden alleen. Gelukkig maar, want ze had er een hekel aan om alleen te zijn. Het 'happy singleschap', waar iedereen tegenwoordig zijn mond van vol had, kon haar gestolen worden. Wilde ze daarom geen ruchtbaarheid geven aan haar dertigste verjaardag, toch een mijlpaal? Dertig jaar, het klonk behoorlijk oud, dacht Eva somber bij zichzelf. Dit was de leeftijd waarop mensen structuur in hun leven kregen en zich gingen settelen. Nou, voor haar viel weinig te settelen, ze had niet eens een relatie. Haar laatste vriend dateerde alweer van enkele jaren geleden en was niet bepaald een succes geweest. Daarna had ze wel wat afspraakjes gehad, er was echter geen enkele man bij geweest die haar hart sneller had doen kloppen. Zolang ze nog in de twintig was, was dat niet zo'n punt geweest. Haar hele leven lag voor haar gevoel nog voor haar. Plotseling, in één nacht, was dat veranderd. Nu was ze dertig en lagen haar beste jaren achter haar.

Ineens schoot Eva luid in de lach, een wat vreemd geluid in het verder lege huis. Ze klonk alsof ze tachtig was! Viola, haar hartsvriendin sinds achttien jaar, zou haar de huid vol schelden als ze dit hoorde, wist Eva. Die was een fervent voorstander van het gezegde 'een mens is zo oud als hij zich voelt'.

„Kom op, meid," sprak ze hardop tegen zichzelf, iets wat ze steeds vaker deed. „Als je toch niet meer kunt slapen, ga dan je bed uit en geniet van deze dag. Het wordt mooi weer, ga iets leuks doen."

Ondanks deze peptalk slofte ze even later haar kleine flatje door. Zoals gewoonlijk was haar eerste gang naar de tv, die ze aanzette op een muziekzender. Het ontbijtnieuws sloeg ze vandaag maar over, ze had genoeg aan haar eigen gedachten en had geen behoefte daar nog allerlei ellende aan toe te voegen. Daarna bekeek ze zichzelf aandachtig in de spiegel. Hm, ze zag wat bleekjes. Het werd hoog tijd voor een hete douche en wat make-up, oordeelde ze. Na deze handelingen en het aantrekken van een vrolijk, rood broekpak, wat mooi afstak tegen haar donkere haren, voelde ze zich inderdaad wat beter, desondanks sleepte de dag zich voort. Ze nam zich voor om nooit, maar dan ook echt nooit meer, vrij te nemen op haar verjaardag. Ze kon zichzelf nu wel wijsmaken dat het een dag als alle andere was, toch voelde ze zich ontheemd in haar eentje. De dag leek maar niet om te komen. Ze ging naar de markt, kocht een grote bos bloemen voor zichzelf plus twee leuke truitjes en sloeg alle ingrediënten voor het dineetje van die avond in, maar toen ze daarvan terugkwam was het pas elf uur. Er scheidden haar nog ruim zes uur van het tijdstip waarop haar eerste gast zou arriveren, uren die zich eindeloos uitstrekten, met als enige afleiding een telefoontje van haar ouders om haar met haar verjaardag te feliciteren.

„Dertig jaar alweer, wat vliegt de tijd toch," zei Jacqueline Lieversen weemoedig. Het was dezelfde zin die ze ieder jaar uitsprak, alleen het getal veranderde steeds.

„Ja mam, het gaat hard," was Eva's stereotiepe antwoord. „Hoe is het bij jullie? Mooi weer?"

Haar afleidingsmanoeuvre werkte. Haar moeder begon uit te weiden over het prachtige weer, het mooie landschap en het fraaie buitenhuis dat ze bezaten. Eva had deze verhalen al talloze malen gehoord, maar ze waren beter dan de melancholieke beschouwingen van haar moeder. Dat kon ze er vandaag echt niet bij hebben, ze had zelf al moeite genoeg met alles wat in het verleden gebeurd was. Normaal gesproken kon ze het goed van zich af zetten, maar vandaag leek dat niet te willen lukken. Die ene dag dat... Ho! In gedachten riep Eva de herinneringen een halt toe. Niet aan denken, dat had geen enkel nut. Dat lag allemaal achter haar. Tegenwoordig was ze een zelfstandige, volwassen vrouw met een goed salaris, een eigen flatje, een auto voor de deur en een eigen mening. Ze was niet langer het onzekere, kwetsbare kind van toen.

„Ben je er nog?" klonk de stem van haar moeder hard in haar oor. „Ik vroeg of je nog iets leuks van plan was vandaag."

„Viola, Janet, Mieke en Carola komen straks eten," vertelde Eva.

„Ha, de beroemde bende van vijf komt dus weer bij elkaar. Hoe lang zijn jullie nu alweer bevriend?"

„Viola ken ik al achttien jaar, Mieke en Carola vijf jaar en Janet sinds drie jaar," dreunde Eva op. Alsof haar moeder dat niet wist. Hun gesprekken verliepen de laatste tijd steeds vaker op dezelfde manier, waaruit bleek dat ze elkaar weinig te vertellen hadden. Haar ouders leidden hun eigen leven, net als zij. Ze bezaten vijf winkels in kantoorbenodigdheden en boeken, maar werkten daar zelf niet meer actief in mee. Alle zaken hadden een prima bedrijfsleider, waardoor ze eindelijk, na jarenlang keihard werken om iets op te bouwen, de tijd aan zichzelf hadden. Ze waren nog jong genoeg om van het leven te genieten en deden dat dan ook met volle teugen. Eva gunde het ze, maar merkte wel dat haar eigen leven en dat van haar ouders weinig raakvlakken meer met elkaar hadden. Sinds haar zeventiende was de verhouding een stuk slechter geworden en dat had zich in de loop der jaren niet hersteld. Na het succesvol afsluiten van haar studie was het iets beter geworden, maar Eva voelde dat ze haar nog steeds van alles kwalijk namen. Zodra ze bij haar ouders was, veranderde ze weer in het kind van toen. Ze zagen haar nog steeds niet als een volwassene, een gelijkwaardige, ondanks haar goede baan en alles wat ze toch maar bereikt had sinds die noodlottige periode.

Met het smoesje dat ze nog een heleboel te doen had voor het avondeten, verbrak Eva het gesprek.

Om kwart over vijf diende dan eindelijk haar eerste gast zich aan, Janet Meyer. Eva had Janet drie jaar eerder leren kennen via haar hartsvriendin Viola en het had meteen geklikt tussen de twee zo verschillende vrouwen. Janet was hoofdredactrice van een feministisch maandblad en een overtuigd mannenhaatster, terwijl Eva het liefst vandaag nog de man van haar leven wilde ontmoeten en een gezin beginnen. Behalve feministe was Janet ook een prima kok, vandaar dat Eva haar hulp had ingeroepen voor het bereiden van haar verjaardagsdiner. De twee vriendinnen kookten vaak samen en ze vonden het heerlijk om allerlei nieuwe combinaties te ontdekken.

„We koken vandaag à la Joop Braakhekke," kondigde Janet aan.

„Bedoel je daarmee dat je met je vingers in alle gerechten gaat zitten roeren?" informeerde Eva belangstellend.

„Nee gek, dat houdt in dat we tijdens het bereiden alvast van de wijn proeven." Janet duwde haar twee flessen in haar handen. „Tenslotte ben je jarig, een extra drankje mag vandaag wel."

„Alsof jij daar een verjaardag als excuus voor nodig hebt," plaagde Eva. Ze ontkurkte meteen een van de flessen en schonk twee glazen vol, terwijl Janet alle ingrediënten bestudeerde die stonden opgesteld op de keukentafel.

„Hm, zo te zien eten we pasta."

„Ja, dat duurt tenminste niet zo lang, anders wordt het zo vreselijk laat. Zullen we maar meteen beginnen?"

Tijdens het koken kletsten de twee vrouwen honderduit. Janet was, evenals Viola, ook lid van de showband, dus ze zagen elkaar regelmatig, maar hadden nooit gebrek aan gespreksstof. Dat gold trouwens voor al Eva's vriendinnen. Het waren allemaal zeer uiteenlopende persoonlijkheden, desondanks konden ze uitstekend met elkaar overweg. Carola de Boer, die Eva had leren kennen toen ze dertig kilo zwaarder was dan nu en om die reden een sportschool bezocht, was aerobicslerares en een echte gezondheidsfanaat. Mieke Altinga, een vroegere buurvrouw van Eva, was een keurige directiesecretaresse die 's avonds alle remmen losgooide en er een uitbundig uitgaansleven en liefdesleven op nahield. Om de haverklap had ze een andere vriend, die net zo hard weer werd afgedankt als een andere, leukere man haar pad kruiste. Met Viola, eveneens hoofdredactrice maar dan van een maandblad voor jonge ouders, was Eva al bevriend sinds hun eerste dag op de middelbare school, inmiddels achttien jaar geleden. Zij was de enige van de vijf vrouwen met een vaste relatie, maar had dat nooit een reden gevonden om haar vriendinnen te verwaarlozen.

Ze had het getroffen met al deze vriendinnen om zich heen, dacht Eva met een gevoel van dankbaarheid toen ze een uur later met zijn vijven om de grote tafel zaten. Zo'n avond als deze, dat ze met zijn allen bij elkaar waren, kwam niet zo vaak voor, maar met ieder apart had ze een speciale band. Viola was haar hartsvriendin bij wie ze altijd terecht kon voor alles. Met Carola kon ze serieuze gesprekken voeren en zij was het die haar trouw bleef helpen haar gewicht op peil te houden. Mieke was degene met wie ze om niets kon lachen, oeverloos kon kletsen en die haar altijd weer uit de

9

put wist te halen met haar optimistische kijk op het leven. Janet tot slot was haar 'doe-vriendin'. Met haar ondernam Eva activiteiten zoals samen koken, joggen en winkelen.

„Waar zit je met je hersens?" haalde Viola haar uit haar gedachten.

„Bij jullie," antwoordde Eva naar waarheid. Ze liet haar glas nog een keer bijvullen door Mieke en hief het vervolgens naar haar vriendinnen op. „Ik wil proosten op jullie, de vier mensen op deze aarde die me het meest dierbaar zijn," zei ze sentimenteel.

„Ho even, wij moeten proosten op jou," protesteerde Janet. „Het is jouw dertigste verjaardag."

„Wacht maar, tot je zelf deze leeftijd bereikt. Dan besef je dat er heel weinig reden is om te proosten," voorspelde Eva somber.

„Ja, je grote aftakeling is begonnen," spotte Viola. „Lekker vooruitzicht, volgende maand is het mijn beurt."

„Wie niet oud wil worden, moet zichzelf vroeg ophangen," meende Mieke onbekommerd. „Wees blij dat je ouder wordt, het alternatief lijkt me erger."

„Jij bent pas zevenentwintig, je hebt nog helemaal geen recht van spreken," wees Eva haar terecht. „Ja, graag nog een glaasje, Janet."

„Kijk je een beetje uit?" zei Carola. „Deze wijn barst van de calorieën."

„Nou en? Ik ben dertig en vrijgezel, voor wie moet ik nog moeite doen om er goed uit te zien?"

„Bah, wat een rotopmerking," zei Mieke uit de grond van haar hart. „Je praat alsof je leven afgelopen is. Vind je het hebben van een vaste relatie nu echt zo belangrijk? Kijk nou naar jezelf. Je hebt een goede baan met een leuk salaris, je bent gezond en je hebt ons. Wat wil een mens nog meer? Mannen zijn leuk om erbij te hebben, dat geef ik onmiddellijk toe, maar niet als vast onderdeel. Ook op dat gebied is een beetje afwisseling belangrijk."

„Een beetje?" gierde Viola. „Dat moet jij nodig zeggen! Jij wisselt vaker van vriend dan ik van panty."

„Dat houdt het leven leuk."

„Mannen zijn alleen maar goed voor de voortplanting en met een beetje geluk zijn ze zelfs daar binnenkort niet meer voor nodig," was Janets mening. „Eva, wees maar blij met je single bestaan, dat maakt het leven een stuk simpeler."

„Voor jou misschien, maar ik verlang naar een echte relatie en een gezin," zei Eva nu serieus. „Gewoon een man om bij thuis te komen, iemand die voor je zorgt en die er simpelweg voor je is. Iemand voor wie je uniek bent."

„Volgens mij ken jij de definitie van het woord man niet helemaal. Mannen laten voor zich zorgen, niet andersom. En uniek? Heb je enig idee hoe hoog het percentage ligt van mannen die vreemdgaan?" Dat was Janet natuurlijk weer.

„Jij hebt last van beroepsdeformatie," wees Viola haar terecht. „Ik ben voor Andreas echt de enige, daar durf ik mijn hand voor in het vuur te steken."

„Voor nu misschien, maar jullie zijn pas een paar jaar samen. Ik spreek je over tien jaar nog wel."

Viola trok haar schouders op. „Je kunt ook té negatief zijn. Natuurlijk bestaan er wel goede relaties en trouwe mannen. Mijn ouders zijn al bijna veertig jaar bij elkaar en ik weet zeker dat er in al die tijd nooit een ander is geweest voor allebei."

„Zeg, wordt het geen tijd voor het toetje?" onderbrak Carola het gesprek. „Altijd en eeuwig dat gezeur over mannen. Zo belangrijk zijn ze nou ook weer niet."

„Wanneer was jouw laatste relatie eigenlijk?" informeerde Mieke bij haar.

„Lang, heel lang geleden en dat bevalt me prima. Ik heb geen tijd voor een vaste relatie," beweerde Carola.

„Maar jij krijgt dan ook genoeg lichaamsbeweging op die sportschool van je," plaagde Mieke.

„Mag ik nog even?" Eva zwaaide met haar glas. „Ik was namelijk bezig met het uitbrengen van een toost op jullie, weet je nog? Ik wil jullie bedanken omdat jullie er altijd voor me zijn. Ik heb dan wel geen man, maar in ieder geval vier heel lieve vriendinnen bij wie ik altijd terecht kan.

Sorry, ik word geloof ik een beetje sentimenteel."

„Dat heet een beetje dronken," zei Carola terwijl ze het glas uit Eva's hand pakte en op tafel zette. „Hoeveel heb je er al op vandaag?"

„Weet niet. Zes of zo."

„Maak daar maar rustig tien van," grijnsde Janet. „Op zijn minst."

Carola kreunde. „En dan deze maaltijd er nog bij. Dat wordt zwaar sporten voor jou de komende week," dreigde ze.

„Dat gaat wel lukken. Zaterdag hebben we een tennistoernooi en zondag lopen we onze show op een taptoe. Daar moeten we ook nog twee avonden extra voor repeteren, dus beweging genoeg," vond Eva.

„Twee extra repetities?" herhaalde Viola verbijsterd. „Wanneer dan? Donderdag en vrijdag? Nou, daar zal Andreas blij mee zijn, dan ziet hij me deze week zowat helemaal niet dus."

„Kijk, daarom heb ik nu geen relatie, ik kan doen en laten wat ik wil," riep Carola triomfantelijk.

„Ik ook, maar op de uren dat ik niets te doen heb, is Andreas er," kaatste Viola vrolijk terug.

Eva luisterde zwijgend naar de discussie die nu weer helemaal van voren af aan begon. Wat haar vriendinnen er ook op te zeggen hadden, zij wilde gewoon een man en een stel kinderen. Daar was toch niets mis mee? Na enkele mislukte relaties vond ze het hoog tijd worden om iets serieus op te bouwen. Ze was nu dertig, als ze aan kinderen wilde beginnen mocht ze toch wel eens opschieten met het vinden van de juiste partner. Als medicus wist ze maar al te goed dat de ideale leeftijd om kinderen te krijgen voor haar al verstreken was. Natuurlijk was ze blij met haar gezondheid, haar baan en alles wat ze nog meer had, maar dat nam niet weg dat ze meer wilde. Ze had de laatste tijd vaker te kampen met een vaag gevoel van onvrede. Het 'is dit alles-gevoel', wat volgens Janet bij alle dertigers om de hoek kwam kijken.

Terwijl haar vriendinnen vrolijk verder kletsten, gingen

Eva's gedachten terug naar het verleden. Eigenlijk was ze maar één keer echt verliefd geweest. Op Rutger, met wie ze samen in de klas had gezeten. Maar daar wilde ze niet aan terugdenken, dat bracht veel te veel nare herinneringen naar boven. Rutger was nou niet bepaald de ideale partner voor haar geweest. Daarna had ze enkele relaties gehad en had ze zelfs twee jaar samengewoond, maar ook dat was op niets uitgelopen. Ook Mark was niet de ware gebleken. Hij kleineerde haar vanwege haar overgewicht en behandelde haar als oud vuil. Haar zelfvertrouwen was in die tijd tot een absoluut nulpunt gedaald en het had heel wat strijd gekost om dat later weer op te bouwen. Achteraf begreep Eva dat ze alleen maar bij Mark was gebleven uit angst om nooit meer een andere man te vinden. Alles was beter dan alleen zijn, meende ze toen. Diep in haar hart dacht ze daar nog steeds zo over. Ze haatte het om alleen te zijn, al was ze tegenwoordig sterk genoeg om het aan te kunnen en zou ze niet snel meer alleen om die reden een relatie beginnen.

Haar leven was druk, actief en bevredigend, daar had ze wel voor gezorgd. Zodra ze de strijd met het overgewicht had gewonnen, had ze zich opgegeven bij de tennisclub en de showband, zodat ze niet meer, zoals vroeger, avond aan avond voor de tv zat. Daarnaast ging ze regelmatig op stap met Mieke of sprak ze af met een van haar andere vriendinnen. Ook wat werk betreft had ze geen klagen. Als consultatiebureau-arts had ze een afwisselende baan en daarbij schreef ze uit hoofde van haar beroep ook een column voor het tijdschrift van Viola, wat weer de nodige correspondentie met lezeressen tot gevolg had. Naar aanleiding van haar column werd ze ook regelmatig uitgenodigd voor radio- en tv-programma's, als deskundige. Kortom, ze had absoluut niets te klagen. Ze leidde een leven waar veel vrouwen haar om zouden benijden, maar die wetenschap maakte haar niet gelukkiger. Integendeel, zij was juist jaloers op de jonge ouders die ze dagelijks meemaakte in haar werk, al was ze realistisch genoeg om te beseffen dat het ouderschap niet alleen maar rozengeur en maneschijn was. Ook daar maakte ze jammer genoeg maar al te vaak voorbeelden van mee. Toch maakte dat haar verlangen niet minder.

„Kijk niet zo somber, het is feest," zei Viola terwijl ze haar aanstootte. „Ik heb heerlijk gegeten, jongens, maar ik moet er nu echt vandoor."

„Naar Andreas, verantwoording afleggen voor de uren die je niet in zijn gezelschap hebt doorgebracht?" vroeg Janet spottend.

„Naar mijn bed, ik heb morgen al heel vroeg een vergadering waar ik nog het nodige voor door moet nemen. Eva, hou je er rekening mee dat de deadline voor je column overmorgen al is?"

„Hij zal er zijn," beloofde Eva haar.

Ze zwaaide Viola en Janet, die meteen met haar meeging, uit terwijl Carola en Mieke snel de tafel voor haar afruimden.

„Zullen we ook nog even afwassen?" bood Carola aan.

„Ben je gek, morgen weer een dag hoor," lachte Eva gemaakt. Ineens was ze het allemaal zat en verlangde ze ernaar om alleen te zijn, iets wat ongekend was voor haar. Normaal gesproken wilde ze haar vriendinnen juist altijd zo lang mogelijk om zich heen hebben, maar vandaag was alles anders dan anders.

Nadat ze allemaal weg waren begon ze toch maar aan de afwas en ruimde ze haar flat op. Ze kon nu toch niet slapen, dat wist ze al bij voorbaat. Een vreemd, onbestendig en huilerig gevoel nam bezit van haar. Was dit echt alles? Moest ze het hiermee doen de rest van haar leven?

HOOFDSTUK 2

„Eva, heb je even tijd?" Sabrina Schiphorst, de verpleeg-
kundige van het consultatiebureau en tevens Eva's assistente, stak haar hoofd om de deur van Eva's spreekkamer. Eva
keek verstoord op. Ze was net bezig met het bijwerken van
het dossier van het kindje dat ze zojuist onderzocht had.
„Wat is er?"
„Michelle Huizinga is hier met haar dochtertje Leonie. Ze is
nogal van streek omdat Leonie volgens haar behoorlijk ziek
is."
Eva sloeg meteen de dossiermap dicht. Zieke kinderen gingen bij haar voor alles. „Heb je de eerste check-up al
gedaan?" vroeg ze.
Sabrina knikte. „Ja. Volgens mij is de baby alleen maar een
beetje verkouden, maar Michelle gedraagt zich of het minstens een longontsteking betreft. Ze staat erop dat er een
arts naar haar kijkt."
„Stuur haar maar naar binnen. Beter een onderzoek te veel
dan iets over het hoofd zien. Ik neem liever geen risico's met
kleine kinderen," besloot Eva.
Even later begroette ze de jonge, nerveuze moeder. Michelle
Huizinga was pas twintig en stond in haar eentje voor de
opvoeding van baby Leonie van zes maanden. De vader van
het kind had haar vlak voor de bevalling in de steek gelaten.
De bevalling van Leonie was moeizaam verlopen en de baby
had een moeilijke start gehad. Allemaal oorzaken die van
Michelle een overbezorgde moeder maakten en Eva had
daar begrip voor. Ze vond het dan ook niet erg om hier wat
meer tijd aan te besteden.
„Het gaat niet goed met haar, dokter," zei Michelle meteen.
„Ze heeft het benauwd en haar temperatuur blijft maar oplopen."
Eva onderzocht de baby grondig, maar kon totaal niets vinden wat op iets ernstigs duidde. Leonie was alleen flink verkouden. Vervelend, maar niet iets om van wakker te liggen,
oordeelde ze.

„Ze heeft alleen wat verhoging, geen echte koorts," zei ze vriendelijk. „En de benauwdheid wordt veroorzaakt omdat ze niet goed door haar neusje kan ademen. Geef haar een zoutoplossing voor baby's en zet eens een doormidden gesneden ui naast haar bedje. Een ouderwets, maar nog steeds beproefd middel."

Michelle keek haar ongelovig aan. „Ik dacht dat u arts was, geen kwakzalver," schimpte ze. „Wat is dat nou voor advies?"

„Mijn oma deed dat vroeger altijd, net als mijn moeder. Het stinkt, maar werkt zeer effectief. Persoonlijk vind ik dit soort huismiddeltjes beter dan chemische producten bij een verkoudheid. Kinderen moeten afweer opbouwen en dat lukt niet als je ieder kwaaltje onmiddellijk bestrijdt met medicijnen," legde Eva uit.

„Ik neem hier geen genoegen mee. Mijn kind is ziek," zei Michelle op hoge toon. „Ik eis een doorverwijzing naar een kinderarts in het ziekenhuis."

Eva zuchtte diep. Er viel niet te praten met dit soort moeders, wist ze uit ervaring. Die waren zo vreselijk bezorgd dat ze alle realiteit uit het oog verloren. Desondanks probeerde ze het toch.

„Iedere kinderarts zal je hetzelfde advies geven. Sterker nog, een specialist zal het je niet bepaald in dank afnemen als je voor deze klachten op zijn spreekuur komt. Ze is verkouden, Michelle, net zoals half Nederland momenteel. Neem haar lekker mee naar huis, hou haar de komende dagen een beetje rustig en zorg dat ze goed drinkt, dat is de beste raad die ik je kan geven. Mocht de koorts echt oplopen, geef haar dan een paracetamol zetpilletje."

„Denk je echt dat dat genoeg is?" De jonge moeder keek haar wantrouwend aan, het was duidelijk dat ze zich niet echt kon vinden in dit advies.

„Ik weet het zeker. Mocht je het niet vertrouwen of verandert er iets in Leonies toestand, dan kun je altijd komen of bellen," verzekerde Eva haar.

Te laat bedacht ze dat ze dit beter niet had kunnen zeggen,

want Michelle zou daar ongetwijfeld misbruik van maken. Maar ach, zoveel moeite was het niet om de baby een keertje extra te onderzoeken, ook al was het medisch gezien niet nodig. Als ze hiermee de moeder gerust kon stellen, was het in ieder geval niet voor niets. Eva kon veel begrip opbrengen voor de gevoelens van de ouders die haar op het consultatiebureau bezochten. Zelf was ze ook snel bezorgd als een van de kinderen iets mankeerde en ze had zelfs wel eens woorden gehad met een kinderarts nadat ze een kind onnodig had doorgestuurd omdat ze het niet helemaal vertrouwde. Vaak vroeg ze zich af hoe ze zelf als moeder zou reageren. Ondanks haar medische kennis vermoedde ze dat zij zelf ook erg bezorgd zou zijn. Een kind was nu eenmaal het kostbaarste wat je kon krijgen, dus daar was je extra voorzichtig mee. Juist haar medische kennis zou een struikelblok vormen als ze zelf ooit een kind kreeg. Ze wist té goed wat er allemaal mis kon gaan. Ook al was het percentage kerngezonde kinderen stukken hoger dan de gevallen waarbij het niet goed ging, toch bleven die laatsten haar veel langer bij. Pasgeleden had ze nog een kindje op het spreekuur gehad met een hartafwijking. Gelukkig was ze er op tijd bij geweest en ging het inmiddels na een operatie goed met hem, maar iedere keer als hij voor controle naar het consultatiebureau kwam, was ze extra alert. Ze kon dit soort problemen moeilijk van zich af zetten.

Na Michelle er nogmaals van verzekerd te hebben dat er echt niets ernstigs aan de hand was, vertrok de jonge moeder dan eindelijk. Eva slaakte een zucht van verlichting. Ze vond het geen probleem om extra tijd uit te trekken, maar het was natuurlijk wel vervelend voor de mensen die op hun beurt zaten te wachten. Het volgende gezin, gelukkig het laatste voor vandaag, zat al ruim twintig minuten in de wachtkamer. Het ging om de familie Noordkamp, zag ze op haar lijst. Een jong gezin met een drieling van bijna een jaar, drie gezonde jongens. De tegenstelling tussen de laconieke Karin Noordkamp en de nerveuze Michelle Huizinga was opvallend. Ook deze drieling was verkouden, maar hun moeder maakte daar geen punt van.

„Het zal wel weer overgaan," zei ze opgewekt. „Alleen wil ik liever even wachten met hun inentingen, die ze eigenlijk vandaag zouden krijgen. De vorige keer reageerden ze allemaal nogal heftig op de prik en in combinatie met een verkoudheid lijkt dat me niet zo goed."

„Heel verstandig," prees Eva. „We vaccineren ook liever niet tijdens een kou, een griep of een virusinfectie. Red je het een beetje met dit drietal? Drie gezonde baby's is al een enorme opgave, maar als ze constant jengelen omdat ze zich niet lekker voelen lijkt het me helemaal geen pretje."

„Mario heeft een weekje vrij genomen," zei Karin met een knikje naar haar man, die er zwijgend bij zat. „Het is een hele ervaring voor hem."

„Dat zal best." Eva lachte naar de man, die stoïcijns bezig was de kinderen in bedwang te houden. „Gelukkig lijken jullie me mensen die veel aankunnen."

„O, het is heerlijk." Karin lachte stralend, ondanks de wallen onder haar ogen die verrieden dat ze leed aan een chronisch slaaptekort. „Na jarenlang tevergeefs dokteren om zwanger te worden hadden we alle hoop op een gezin al opgegeven, dus je zal mij nu niet horen klagen over de drukte. Ik geniet er iedere dag van."

Tevreden liet Eva het gezin Noordkamp even later uit, na met ze afgesproken te hebben dat ze over een maand terug zouden komen voor de benodigde vaccinaties. Dit soort gezinnen gaf haar altijd een goed gevoel. Gezonde kinderen en gelukkige ouders, ging het overal maar zo. Misschien zou Michelle Huizinga eens met deze Karin Noordkamp moeten praten, peinsde ze terwijl ze haar bureau opruimde en haar spullen pakte. Ze zou ongetwijfeld veel van haar op kunnen steken. Als Karin net zo neurotisch zou zijn als Michelle, zou ze gillend gek worden met haar drie knullen. Enfin, dit was wel een goed onderwerp voor haar column. Haastig krabbelde Eva wat aantekeningen op een blaadje dat ze in haar tas stopte. Overbezorgdheid, daar kon ze haar verplichte vijfhonderd woorden ruimschoots mee halen. Hoewel ze vaak op het laatste nippertje was met het inleveren van haar column, kostte het haar nooit moeite om onderwerpen te bedenken en daar een samenhangend verhaal van te maken. In haar praktijk vond ze inspiratie genoeg, want de mensen die het consultatiebureau bezochten waren van alle rangen en standen en allemaal hadden ze hun eigen verhaal.

Inmiddels was het behoorlijk laat geworden, dus toog Eva rechtstreeks naar het clubgebouw van de band voor hun wekelijkse repetitie. De nieuwe show waar ze de afgelopen maanden intensief mee bezig waren geweest, zat er nu goed in. Dit was de laatste repetitie voor ze hem de komende zondag voor het eerst op zouden voeren voor publiek.

Pas om elf uur die avond kwam ze thuis, moe van de enerverende dag en rammelend van de honger omdat ze in alle drukte haar avondeten had overgeslagen. Somber staarde Eva in haar ijskast. Worteltjes, komkommers en een rode paprika grijnsden haar tegemoet, maar dat was wel het laatste waar ze nu trek in had. Ze watertandde bij de gedachte aan een grote zak paprikachips. Helaas, of waarschijnlijk maar gelukkig, had ze dat niet in huis. Onder leiding van Carola had ze alle ongezonde etenswaren de deur uit gedaan en zich gestort op fruit, groente, yoghurt, crackers en mager vlees. Met resultaat, dat wel, maar af en toe baalde ze behoorlijk van dit eetpatroon. Soms had ze gewoon behoefte aan iets slechts. Iets met veel zout en vet. Lamlendig maakte ze een paar boterhammen met kaas en mosterd, zodat ze toch iets hartigs had. Het viel niet mee om gedisciplineerd te blijven als er niemand bij was om je op je vingers te tikken, wist Eva uit ervaring. Juist de uren die ze in haar eentje doorbracht waren het moeilijkste. Gelukkig deed ze haar boodschappen altijd in de pauzes of vlak voordat ze naar het tennissen of de band ging. Op zulke momenten had ze minder behoefte aan eten en was de verleiding van de overvolle schappen in de supermarkt een stuk beter te weerstaan. Ze at om haar eenzaamheid te compenseren, had ze geleerd. Daarom was ze ook zo dik geworden vroeger. Voordat Mark in haar leven kwam had ze een paar jaar alleen gewoond en was ze doorgeslagen in haar eetbuiten. Jammer genoeg was Marks gezelschap niet genoeg gebleken om een normaal eetpatroon te gaan volgen. Hij meende het recht te hebben om haar te mogen vernederen vanwege haar dikke lijf en uit onvrede daarmee was ze juist nog meer gaan eten, zodat de cirkel rond was. Pas nadat ze genoeg moed had verzameld om hun relatie te verbreken was ze gaan inzien dat ze verkeerd bezig was. Nu, drie jaar later, was ze dertig kilo lichter en voelde ze zich fit en gezond. Maar ook nog steeds eenzaam, wat het heel erg moeilijk maakte om niet weer terug te vallen. Voor de buitenwereld was Eva een leuke, vlotte, gezellige en ongecompliceerde meid, maar zelf wist ze wel beter. Ze kampte nog dagelijks met onverwerkte gevoelens uit het verleden, alleen merkte niemand daar iets van.

Het brood vulde het lege gevoel in haar maag niet, maar moedig weerstond Eva de neiging om door te gaan met eten. Dat gevoel kon ze niet laten verdwijnen door te eten, daar was ze zich terdege van bewust. Al zou ze op dat moment eigenlijk niets liever willen.

Die zondag daarna werd hun nieuwe show opgevoerd. Eva vertrok al vroeg naar hun clubruimte, waar alle uniformen en instrumenten lagen en waar ze zich altijd omkleedden voor ze per bus naar de locatie van de taptoe gingen. Ze voelde zich nog steeds niet lekker in haar vel en was dan ook blij met het optreden van die dag. Tot vanavond een uur of zes, het tijdstip dat ze ongeveer terug zouden zijn, had ze in ieder geval genoeg afleiding en gezelschap. Gisteren had ze een paar nieuwe dvd's gekocht, misschien kon ze Viola of Janet bereid vinden om die vanavond samen met haar te bekijken. In de grote kleedkamer was Viola al aanwezig. Ze zag er slecht uit, merkte Eva op. Haar gewoonlijk blozende wangen waren bleek en haar ogen lagen diep in hun kassen.
„Doorgezakt gisteravond?" vroeg ze dan ook.
Viola schudde haar hoofd. „Integendeel, ik lag om tien uur al in bed."

„Dat is je niet aan te zien. Volgens mij word je ziek."

„Nee hoor, maak je niet ongerust. Ik voel me inderdaad belabberd, maar dat heeft een heel andere reden. Over ongeveer een uur voel ik me vast weer stukken beter, zo gaat dat namelijk iedere dag de laatste week."

Niet-begrijpend keek Eva haar aan. „Waar slaat dat nou weer op? Ben jij alleen 's ochtends vroeg ziek en de rest van de dag niet? O…" Ineens drong het tot haar door.

Viola knikte. Ondanks de vermoeide uitdrukking op haar gezicht, begonnen haar ogen te glanzen. „Juist, de beroemde ochtendziekte. Niet doorvertellen, maar ik ben zes weken zwanger."

„Wat fijn voor je. Gefeliciteerd." Eva omhelsde haar hartelijk, al voelde ze een steek van jaloezie door haar hart gaan. „Ik wist niet dat jullie plannen in die richting hadden."

„Het was ook niet de bedoeling, wat overigens niet wegneemt dat we er heel erg blij mee zijn. Dat is zo stom. Het hoofdstuk kinderen lag twee maanden geleden nog heel ver van me af, maar zodra de test positief kleurde, waren we dolgelukkig. Alsof we hier al jaren naar verlangd hadden," zei Viola.

„Maar het is dus een ongelukje," begreep Eva.

„Hè bah, dat vind ik zo'n rotwoord. Het was niet gepland, maar zeer welkom," wees haar vriendin haar terecht. Met moeite kwam ze overeind om haar uniform aan te trekken. Er kwamen nu meer mensen de kleedkamer binnen, zodat hun gesprek automatisch onderbroken werd. Eva was niet de enige wie het opviel dat Viola er slecht uitzag. Er werden meerdere opmerkingen over gemaakt, maar Viola beweerde nu glashard dat ze de avond daarvoor te veel gedronken had en nog niet uitgerust was. „Laat me maar even met rust, dan kom ik vanzelf wel uit mijn roes. Ik heb geen kans gehad om hem eruit te slapen," voegde ze er lachend aan toe.

Ze werd hevig geplaagd met haar kater, terwijl Eva er stilletjes bij zat. Viola zou dus binnenkort moeder worden. Haar eigen, diepste wens ging in vervulling voor haar beste vriendin, die er niet eens om gevraagd had. In tegenstelling tot haarzelf had ze al een goede relatie en nu was ze dus ook nog eens in verwachting. Hoe oneerlijk kon het leven zijn! Het was heel erg moeilijk om niet stikjaloers te worden nu, hoezeer ze haar vriendin het geluk ook gunde.

„Ik heb nog meer nieuws, maar dat hoor je later wel," fluisterde Viola haar toe met een blik op de anderen.

Bitter trok Eva's mondhoek even naar beneden. Misschien werd het wel een tweeling, dacht ze schamper bij zichzelf. Om de ironie nog groter te maken. Viola twee en zij niks. En dan te bedenken dat ze…. Nee, niet doen! Niet aan denken, sprak ze zichzelf in gedachten streng toe.

In de bus ging ze expres niet naast Viola zitten, maar naast Mary. Mary was het stilste lid van hun vereniging, die zei geen twee woorden als ze het met één afkon en dat was nu precies wat Eva op dat moment nodig had. Ze kon het even niet aan om gezellig te kletsen en net te doen of er niets aan de hand was, ze had eerst wat tijd nodig om Viola's nieuws te laten bezinken. Het was een vreemd idee dat ze binnenkort een baby zou hebben. Vanaf hun twaalfde waren ze al vriendinnen en totdat Viola Andreas leerde kennen waren ze altijd gelijk op gegaan met elkaar. Ze studeerden ongeveer gelijktijdig af, vonden binnen een maand allebei de woning die ze wilden hebben en begonnen zo'n beetje tegelijk met werken. In de tijd dat Eva met Mark samenwoonde, had Viola ook een relatie, die echter verbroken werd twee weken nadat Eva Mark haar huis uit had gezet. Toen ze een jaar later Andreas ontmoette, met wie het al heel snel serieus werd, had ze een flinke voorsprong op Eva genomen, maar die had lange tijd gedacht dat zij binnen afzienbare tijd ook haar prins op het witte paard wel tegen zou komen. Dat was echter nog steeds niet gebeurd en nu zou ze Viola nooit meer in kunnen halen. Hun levens liepen niet langer parallel aan elkaar, maar gingen allebei een andere kant op. Wrang genoeg ging Viola juist die kant op die Eva zo graag wilde. En het ergste was dat zij dat pad allang had kunnen betreden…

Er liep een huivering langs Eva's rug en dit keer kon ze de

herinneringen die haar besprongen niet langer tegenhou-
den. Met gesloten ogen leunde ze tegen de hoofdleuning van
haar stoel en op haar netvlies verschenen de beelden die ze
zo lang verdrongen had. Het gezicht van haar huisarts toen
hij haar vertelde dat ze zwanger was, de reactie van haar
toenmalige vriendje, de kille kliniek waar een einde aan het
prille leven werd gemaakt, de afschuw van haar ouders toen
ze daarachter kwamen. Ondanks de aangename temperatuur in de bus rilde ze.
Ze had een dochter of een zoon van elf jaar kunnen hebben
nu. Als ze toen een andere keus had gemaakt, zou haar
leven heel anders verlopen zijn. Misschien was dit haar straf
wel. Misschien was ze nu zo eenzaam omdat ze toen de
foute beslissing had genomen.
Hoewel… Onwillekeurig schudde ze haar hoofd. Het wás
geen verkeerde keus geweest. Ook al vroeg ze zich vaak af
hoe haar kind eruit gezien zou hebben en hoe het geweest
zou zijn om moeder te worden, toch stond ze er nog steeds
achter. Ze had het niet in een opwelling gedaan, maar er
lang en serieus over nagedacht. In die tijd en in de omstandigheden die toen een rol speelden, was het het beste wat ze
kon doen. Niet het eenvoudigste, want het was absoluut niet
de weg van de minste weerstand geweest, maar het beste
voor haarzelf en voor het kind. Ze zou er onmogelijk voor
hebben kunnen zorgen toen. Rutger had het 'wel grappig'
gevonden dat ze zwanger bleek, een reactie die haar bewees
dat hij niet in staat was het vaderschap op zich te nemen.
Toen, op zijn negentiende, was hij hard op weg om verslaafd
én crimineel te worden en ondanks het feit dat Eva stapelverliefd op hem was geweest, woog de verantwoordelijk-
heid voor het leven in haar lichaam zwaarder. Ze had de
relatie verbroken en de zwangerschap beëindigd. Het klonk
heel simpel, maar het was de zwaarste periode uit haar
leven geweest. In haar eentje had ze alles doorstaan. Pas
later had ze het aan haar ouders verteld, waarna de verwijdering met hen begonnen was. Ze konden niet accepteren
dat hun dochter die stap had gezet en verweten haar dat ze

gemakzuchtig en egoïstisch was. Ze had de consequenties van haar daden op zich moeten nemen, had haar moeder haar fel voor de voeten gegooid. Het drong niet tot hen door dat ze dat juist had gedaan, op de manier die haar het beste leek.

Ze was op kamers gaan wonen, had zich op haar studie gestort en was dertig kilo aangekomen. Haar volwassen leven in een notendop, dacht Eva bitter bij zichzelf. Nu was het elf jaar later en wat was ze eigenlijk opgeschoten? Ze was nu slank en ze had een goede baan, maar het verleden kon ze niet uitwissen. Dat zou nooit meer kunnen. Ze had leren leven met de keus die ze gemaakt had, maar ze was nooit meer echt gelukkig geworden. Echt geluk had ze alleen gekend in de beginperiode met Rutger, voor hij langzaam maar zeker afgleed in het criminele circuit.

„We zijn er bijna," zei Mary terwijl ze haar aanstootte. Het was het eerste wat ze zei sinds ze twee uur geleden de bus in stapten. Vanuit haar ooghoeken zag Eva dat Viola naast Janet zat, dus die zou nu ook wel op de hoogte zijn van het grote nieuws, vermoedde ze. Ze was echt blij voor Viola, maar kon niet ontkennen dat het pijn deed. Jammer genoeg was er niemand met wie ze haar gevoelens kon delen, want ze had altijd gezwegen over de abortus. Behalve haar ouders wist niemand ervan af, zelfs Viola en Rutger niet. Viola had het in die tijd druk met haar zwaar zieke moeder en ze wilde haar niet nog verder belasten. Rutger was geruisloos uit haar leven verdwenen nadat ze de relatie verbroken had. Misschien leefde hij nog steeds in de veronderstelling dat hij ergens een zoon of dochter rond had lopen.

„Fantastisch voor Viola, hè?" zei Janet even later enthousiast.

De instrumenten waren uitgeladen en ze liepen over het terrein in afwachting van het moment dat ze aan de beurt waren. Uit diverse eettentjes aan de rand van het veld kwamen verleidelijke geuren die Eva slechts met moeite kon weerstaan. Het water liep in haar mond bij het passeren van een frietkraam. Ze knikte slechts ten antwoord en probeerde haar gedachten ergens anders op te concentreren.

„En zo romantisch," zwijmelde Janet verder.

Die opmerking begreep Eva niet helemaal. „Romantisch?" herhaalde ze dan ook.

„Zijn huwelijksaanzoek. Andreas heeft Viola op zijn knieën ten huwelijk gevraagd, nadat ze die zwangerschapstest hadden gedaan," vertelde Janet onbevangen.

Dus dat had Viola bedoeld met haar opmerking dat ze nog meer nieuws had, begreep Eva. Haar maag kneep even samen. Alle dromen die ze voor zichzelf had gecreëerd, kwamen uit voor Viola. In haar fantasie had ze zichzelf regelmatig in een lange, witte trouwjurk gezien. Nu zag ze dat beeld weer voor zich, alleen was niet zij, maar Viola degene die de jurk droeg.

„Wacht even," zei ze. Ze draaide zich om en liep terug naar de frietkraam.

„Zeg het maar," zei de man achter de toonbank joviaal.

„Een dubbele patat met extra veel mayonaise," hoorde Eva zichzelf als in een droom zeggen. Het kon haar op dat moment allemaal niets meer schelen.

HOOFDSTUK 3

Het smaakte eigenlijk niet eens, al deed ze haar best om een genietend gezicht te trekken toen ze op het volle taptoeterrein Viola tegen het lijf liep.

„Wat doe jij nou?" vroeg die misprijzend.

„Eten. Het is heerlijk."

„Het is pas kwart voor elf," zei Viola misprijzend.

„Nou en? Ik heb vroeg ontbeten. Trouwens, zodra de friettenten opengaan, is het tijd om het te eten ook," lachte Eva geforceerd.

„Laat Carola je zo maar niet zien. Ze doet zoveel moeite om je te helpen op je gewicht te blijven."

„Wat is dat nou weer voor opmerking?" Eva werd nu echt kwaad. „Ik ben dertig kilo afgevallen, ja, met behulp van Carola, maar dat houdt niet in dat zij bepaalt wat ik wel of niet mag eten. Ik mag af en toe best iets lekkers, net als ieder normaal mens. Je doet nou net of jij jezelf nooit bezondigt aan een snack of een zak chips. Gun mij ook eens wat."

Viola keek haar sceptisch aan. „O, waait de wind uit die hoek? Een grote zak patat helpt je niet om je onvrede kwijt te raken, hoor. Evenmin kun je jaloezie weg eten."

„Ik ben niet jaloers," protesteerde Eva. „Ik gun je alle geluk van de wereld."

„Eva, wees eerlijk. Tegen mij, maar vooral tegenover jezelf. Ik weet wat jij verlangt en het is heus geen schande om toe te geven dat het je pijn doet als een ander dat in de schoot geworpen krijgt. Maar laat die gevoelens toe en toon ze gewoon in plaats van te proberen ze te verstoppen onder een laag vet. Heus, daar pak je alleen jezelf mee." Viola keek haar doordringend aan, maar Eva draaide haar hoofd om.

„Wat een gezeur om een patatje," hoonde ze. „Komt het niet in je hoofd op dat ik dit eet omdat ik het lekker vind? Door jouw gezanik smaakt het me echter al een stuk minder. Bedankt." Dat laatste klonk sarcastisch.

„In dat geval..." Viola trok haar schouders op en draaide

zich om. „Pas maar op dat je niet op je uniform morst," zei ze nog voor ze wegliep.

Eva bleef verloren staan tussen honderden pratende en lachende mensen. Zowel publiek als muzikanten liepen druk heen en weer, in afwachting van het moment dat de taptoe zou beginnen en ze konden gaan genieten van een tiental wervelende shows. In de verte zag ze het kobalt-blauw met goud van hun uniformen blinken, maar ze had geen zin om naar hun groep toe te gaan. De patat smaakte haar nu helemaal niet meer en met een beslist gebaar gooi-de ze het vette zakje in een prullenbak. Viola's preek was toch nog ergens goed voor geweest, dacht ze wrang bij zich-zelf. Dit scheelde haar weer minstens een kilo. Ze veegde haar handen af aan een servetje en besloot zuchtend dat ze zich maar vast naar het verzamelpunt moest begeven, toen ze ineens stokstijf bleef staan. Haar ogen staarden als gebio-logeerd naar een man die een paar meter van haar vandaan stond te praten. Hij was ouder dan in haar herinnering en de sjofele kleding had plaatsgemaakt voor een dure broek en een perfect zittend shirt, toch was hij het ontegenzeggelijk. Rutger! Even hapte Eva naar adem. Was het toeval dat ze hem juist nu zag, net nadat alle herinneringen aan vroeger weer boven waren gekomen?

Hij kreeg haar nu ook in het oog en er verscheen een ver-raste trek op zijn gezicht. Tot haar ontzetting zag Eva dat hij iets tegen zijn gesprekspartner zei waarbij hij een hoofdge-baar in haar richting maakte, waarna ze beiden haar kant op kwamen lopen. Het liefst wilde ze het op een rennen zetten, maar ze was niet in staat om een voet te verzetten. Het klamme zweet brak haar uit. Ze wilde hem niet ontmoeten, niet met hem praten. Er was echter geen enkele mogelijk-heid om hem te ontlopen.

„Eva, je bent het echt!" Met uitgestrekte handen stond hij nu voor haar, zijn ogen straalden haar zelfverzekerd tegemoet. „Wat een verrassing en wat heerlijk om je weer te zien. Hoe gaat het met je?"

„Goed," wist ze met droge mond uit te brengen. Ze zegende

het feit dat ze net haar patatzakje weggegooid had, anders had ze zich behoorlijk opgelaten gevoeld.

Rutger zoende haar op allebei haar wangen en plotseling was daar weer hetzelfde gevoel als ze vroeger had gehad wanneer hij haar aanraakte. Net of alle haartjes op haar lijf recht overeind gingen staan en al haar zenuwuiteinden op scherp stonden.

„Het is elf jaar geleden," herinnerde hij zich. „Maar je bent geen spat veranderd in die tijd."

„Jij wel." Ze monsterde hem aandachtig, blij dat ze weer in staat was om normaal te praten. „Waar is dat onverzorgde jongetje gebleven met die vette piekharen en die nonchalante kleding?"

„Die is volwassen geworden. Ach ja, zo tussen je achttiende en je dertigste gebeurt er heel wat in een mensenleven." Hij lachte aantrekkelijk, nog dezelfde lach als vroeger. „De rebelse houding van 'wie kan me wat maken' ben ik inmiddels wel kwijt, evenals het stoere gedrag dat ik vertoonde om indruk op mijn vrienden te maken."

„Zeg, zou je me niet eens voorstellen," bemoeide de andere man zich nu met het gesprek. Hij zag er met zijn donkere haren en ogen en gespierde lichaam aantrekkelijk uit, maar Eva had geen oog voor hem. Zij zag alleen Rutger maar. Rutger, met zijn scherp gesneden gezicht, zijn donkerblonde haren en felblauwe ogen. Ze wist nog precies hoe die ogen vroeger vol aanbidding naar haar gekeken hadden. Ze waren echt stapelgek op elkaar geweest dat eerste jaar. De verwijdering was pas begonnen toen Rutger in aanraking kwam met verkeerde vrienden en niet voor hen onder wilde doen.

„Sorry," verontschuldigde Rutger zich. „Eva, dit is Albert Droogstra, een vriend en tevens collega van me. Albert, dit is Eva Lieversen. Het mooiste meisje dat er bij me op het vwo heeft gezeten."

„Niet alleen op het vwo, maar nog steeds volgens mij," complimenteerde Albert haar charmant.

Eva bloosde diep. Dat had hij vast niet gezegd als hij haar

een paar jaar eerder had gezien, vermoedde ze. Niet dat ze hem nu geloofde trouwens. Ze wist heus wel dat ze niet lelijk was, maar ze was nu ook niet bepaald een fotomodel met haar sproeten en haar brede mond.

„Hou dat gevlei maar voor je," beet Rutger hem gepikeerd toe.

Eva lachte toen ze Alberts knipoog opving. Het was niet moeilijk te raden waarom Rutger zo reageerde, want hij keek haar weer net zo aan als twaalf jaar geleden. Ze voelde zich helemaal warm worden van binnen bij die aanblik en haar maag maakte vrolijke sprongetjes in haar lichaam. Alle tussenliggende jaren leken ineens weggevallen te zijn.

„Ga mee wat drinken, dit weerzien moeten we vieren," zei Rutger beslist.

„Dat kan niet, ik moet zo optreden," antwoordde Eva met een gebaar naar haar uniform. „De opening is over tien minuten, wij doen onze show als tweede."

Vanuit haar ooghoeken zag ze Janet al druk gebaren dat ze moest komen, maar dat negeerde ze. Dit was even belangrijker. Er was nog zoveel onuitgesproken tussen hen, ze kon onmogelijk zo weglopen.

„Wij kunnen helaas niet tot het einde blijven, maar jouw band zullen we met extra aandacht bekijken," beloofde Rutger haar terwijl hij een kleine, elektronische agenda uit zijn zak haalde. „Geef me je adres en telefoonnummer, want ik wil je absoluut terugzien. Ik denk dat wij het nodige te bepraten hebben samen." Hij keek haar diep in de ogen en Eva wist precies wat hij bedoelde, maar in Alberts aanwezigheid ging ze daar liever niet op in. „Hoe laat ben je hier klaar?"

„We zijn zo rond zes uur terug bij ons clubgebouw."

„Dan kom ik je om halfacht halen en gaan we samen uit eten." Het klonk meer als een bevel dan als een vraag, het kwam echter niet in Eva's hoofd op om te protesteren.

„Kom nou," klonk Janets stem ongeduldig achter haar. „Evert heeft al een paar keer het sein tot verzamelen gegeven."

„Momentje." Snel gaf Eva haar adres en telefoonnummer aan Rutger, terwijl Janet naast haar stond te trappelen. Uit de luidsprekers klonk de stem van de presentator van de taptoe al om het publiek en de korpsen welkom te heten. De bands stonden klaar om aan te treden voor de opening.

„Wat was dat nou allemaal?" hijgde Janet terwijl ze samen naar het veld renden.

„Hij is een oude kennis van me," ontweek Eva.

„Hm, volgens mij veel meer dan dat alleen," zei Janet echter. Onder de misprijzende blikken van Evert, de tamboer maître van de band, namen ze snel hun posities in, zodat Eva er niet meer verder op in kon gaan. Ze voelde zich vreemd licht in haar hoofd en haar hart leek wel uit haar lichaam te barsten van geluk. Wat haar betrof was de oude liefde tussen haar en Rutger onmiddellijk weer opgelaaid. Het was heel lang geleden dat ze zich zo had gevoeld. Twaalf jaar, om precies te zijn. Geen enkele andere man had haar dit geluksgevoel ooit kunnen geven. De adrenaline gierde door haar lijf. Ze voerde de show met zoveel enthousiasme uit dat ze de andere leden van de band ermee aanstak. De wetenschap dat Rutger ergens tussen het publiek stond en haar zag, leek haar vleugels te geven. De trompetsolo, die ze halverwege de show deed, had nog nooit zo perfect geklonken als die dag. Met een blij gevoel nam ze het goedkeurende knikje van Evert in ontvangst, samen met het gejuich en geklap van het publiek. Tijdens de afmars, een kwartier later, zag ze Rutger en Albert langs de kant staan. Rutger stak zijn duim naar haar op en met zijn lippen vormde hij de woorden 'tot vanavond.' De blik die hij haar daarbij toewierp was veelzeggend.

Duizelig van geluk nam Eva de complimentjes van de bandleden in ontvangst.

„Je was wel heel erg op dreef," zei Viola. „Hoe kwam dat zo ineens?"

„De liefde," antwoordde Janet in Eva's plaats. Ze rolde theatraal met haar ogen. „Bereid je maar voor, Viola. Eva is voorlopig totaal verloren voor de gewone mensheid. Zij vertoeft ergens in een gebied met roze wolkjes."

„Doe niet zo gek." Eva gaf haar lachend een duw. „Ik heb Rutger net weer ontmoet," zei ze toen tegen Viola.

Haar ogen werden groot in het smalle gezicht. „Rutger? Bedoel je Rutger Messing, waar je je halve schooltijd zwaar verliefd op was?"

„En nog is," bemoeide Janet zich er weer mee.

„Dat meen je niet. Vertel," eiste Viola.

„Er valt niet veel te vertellen. We zagen elkaar net toevallig en hebben een afspraak gemaakt om samen uit eten te gaan," zei Eva nonchalant, maar met stralende ogen.

„Wanneer?"

„Eh, vanavond. Hij komt me om halfacht halen."

„Zo, hij laat er geen gras over groeien." Viola en Janet keken elkaar veelbetekenend aan.

„Ik zei het al: verloren voor de mensheid," knikte Janet. „Ik ga wat te drinken halen. Willen jullie ook wat?"

„Je verheugt je er heel erg op, hè?" constateerde Viola toen Janet buiten gehoorsafstand was.

„Behoorlijk, ja. Het was zo vreemd. Jaren hebben we elkaar niet gezien, maar we hoefden elkaar alleen maar aan te kijken en de vonk sprong alweer over," zei Eva peinzend.

„Kijk je wel uit?" Viola keek haar vriendin bezorgd aan. „Ik weet eigenlijk niet eens precies waarom het toen uit is gegaan tussen jullie, maar ik weet nog wel dat Rutger het laatste jaar op school heel erg veranderde. Van een leuke knul werd hij een enorme etterbal, als ik me goed herinner. Zo'n fout type met een grote mond en een mes op zak, constant opscheppend over hoe dronken of hoe stoned hij wel niet was."

Eva schoot hartelijk in de lach. De Rutger die ze net had gezien en de Rutger zoals Viola hem beschreef, waren twee totaal verschillende mensen. „Dat is verleden tijd," zei ze dan ook. „Hij is ook volwassen geworden, net als wij. Je had eens moeten zien hoe goed hij eruit ziet nu. De broek die hij droeg was echt geen confectiekleding en dat shirtje kost minstens een kwart maandsalaris."

„Daarom juist," hield Viola vol. „Hij is niet meer dezelfde als vroeger, evenmin als jij. Stel je verwachtingen over dit avondje niet te hoog, want dan kan het alleen maar tegenvallen. Ik zie je niet graag gekwetst worden."

„Dat zal vast niet gebeuren," stelde Eva haar gerust, gedachtig de blik in zijn ogen. Ze werd weer warm als ze eraan terugdacht, alsof ze vloeibaar was vanbinnen.

De hele dag kon haar stemming niet meer stuk. Hoewel ze vanochtend nog op had gezien tegen het tijdstip waarop de band terug naar huis zou gaan, kon het haar nu niet snel genoeg gaan. Ze gunde zich amper de tijd om haar uniform uit te trekken en haar trompet weg te bergen voor ze zich naar haar eigen huis haastte. Om zeven uur stond ze al klaar, zo bang was ze dat ze te laat zou zijn. Blijkbaar dacht Rutger daar precies hetzelfde over, want om tien over zeven galmde de bel door haar huis heen.

„Eva!" Zijn ogen streelden haar lichaam. „Sorry dat ik zo vroeg ben, maar ik kon niet langer wachten. Kleine Eva." Hij schudde zijn hoofd alsof hij het nog niet helemaal kon bevatten. „Je bent nog dezelfde als vroeger en toch anders. Ik kan het niet goed uitleggen."

„Ik weet precies wat je bedoelt. Als ik jou zo zie, zie ik meteen die branie van toen weer voor me, terwijl je daar absoluut niet meer op lijkt," beaamde Eva.

„We waren een leuk stel samen," herinnerde hij zich met een glimlach. Hij hielp haar in haar jas en op weg naar zijn auto sloeg hij zijn arm om haar schouder heen. „Iedereen had het over kalverliefde, maar ik was er toen heilig van overtuigd dat onze relatie voor altijd was. Je brak mijn hart toen je het uitmaakte."

„Ik vond niet dat ik veel keus had." Eva huiverde even bij de gedachte aan die moeilijke periode. „Ik was nog steeds heel erg verliefd op je, maar we hadden geen toekomst samen. Jij was zo veranderd en niet bepaald in je voordeel. Ik vergeet nooit meer je reactie toen ik je vertelde wat ik van de dokter gehoord had."

„Ik was een hork," gaf hij onmiddellijk toe. Hij hielp haar

met instappen, liep om de wagen heen en nam plaats achter het stuur. In plaats van weg te rijden draaide hij zich echter naar haar toe. „Laten we dit meteen maar uitpraten, voor we naar het restaurant gaan. Van mijn ouders heb ik gehoord dat je een abortus hebt laten doen nadat je het met mij uitgemaakt had. Eerlijk gezegd was ik woest toen ik dat hoorde."

„Waarom?" vroeg Eva rustig. „Zag jij jezelf echt als een aanstaande vader? Je vond het wel grappig, zei je me."

„Dat was pure onzekerheid en stoerdoenerij. Ik zou je echter nooit in de steek gelaten hebben."

„Daar was ik ook niet bang voor. Ik was bang voor je vrienden en het milieu waarin je je begaf. Je was inmiddels al een paar keer door de politie opgepakt voor kleine vergrijpen en ik wilde voor mijn kind geen vader die in de gevangenis zou zitten."

„Dus besloot je dat er helemaal geen kind zou komen. Het verbreken van onze relatie alleen was niet genoeg," constateerde hij. „Ik voelde me heel erg buitengesloten. De baby was net zo goed van mij als van jou, toch had ik er geen enkele zeggenschap over. Dat is hard."

„Ik was alleen, ik zat nog op school en jij verliet de stad zonder dat we nog een woord met elkaar gewisseld hadden. Ik was ten einde raad en wist niet wat ik moest doen. Het combineren van een studie en later een baan met de opvoeding van een klein kind was niet iets wat ik mezelf zag doen. Mijn ouders wilde ik hier ook niet mee belasten. Die hadden het veel te druk met de opbouw van hun winkels, ik kon ze onmogelijk een kleinkind in de maag splitsen. Je weet hoe belangrijk mijn opleiding voor me was. Al deze redenen bij elkaar hebben uiteindelijk geleid tot mijn beslissing. Een weloverwogen beslissing, laat dat je duidelijk zijn," vertelde Eva.

„Heb je er nooit spijt van gehad?" vroeg Rutger.

„Natuurlijk wel. Je gaat hier niet doorheen zonder je af te vragen of je er goed aan doet en zonder achteraf te denken dat het misschien niet nodig was geweest, maar ik heb er vrede mee. Alleen soms…" Eva stokte en beet op haar onderlip. „Soms vliegt het me nog wel eens aan," vervolgde ze toen moeizaam. „Vooral rond het tijdstip waarop de abortus gedaan is en op de datum waarop hij of zij ongeveer geboren zou worden. Dat blijven moeilijke dagen, nog steeds."

„We hebben het allebei niet makkelijk gehad," constateerde Rutger.

„Wat heb jij eigenlijk gedaan nadat ik het uitgemaakt had? Ik heb je daarna nooit meer gezien."

„Ik was er helemaal kapot van." Nu was het Rutgers beurt om te vertellen. „Mijn ouders stuurden me naar mijn oom en tante, die een boerderij hadden in Drenthe, zodat ik een beetje bij kon komen. Ik gooide echter mijn kont tegen de krib en ben daar weggelopen, waarna ik een tijdje op straat heb geleefd. Een harde, maar realistische leerschool. Na twee jaar kwam ik tot bezinning en ben ik teruggekeerd naar mijn ouders. Jij was toen echter de stad al uit."

„Toen studeerde ik, ja. Ik ben expres naar een universiteit aan de andere kant van het land gegaan, vanwege de vele herinneringen. Dat wilde ik allemaal achter me laten."

„Vreemd toch, dat mensen altijd denken dat ze dingen kunnen vergeten door ze te ontvluchten," peinsde Rutger. „Dat dacht ik zelf ook, hoor. Ik deed alles om jou te kunnen vergeten, maar het is me nooit gelukt. Heel lang heb ik met de gedachte gespeeld om je op te sporen, maar ik durfde nooit. Zoveel was er niet van me terechtgekomen."

„Dat is nu wel anders, denk ik. Gezien je kleding en je auto heb je je toch aardig opgewerkt."

„Ach ja." Hij haalde nonchalant zijn schouders op. „Het is me niet slecht vergaan, maar het heeft wel heel lang geduurd voor ik zover was. Zo rond mijn achttiende ben ik pas echt gaan puberen en dat heeft geduurd tot mijn vijfentwintigste." Hij lachte even kort. „Enfin, die dingen liggen nu heel ver achter ons en we kunnen met een schone lei beginnen. Ik ben zo blij dat ik jou vandaag tegen het lijf liep, want ik ben bang dat ik nooit de moed gevonden zou hebben om je te zoeken."

„Waarom niet? Je was welkom geweest," zei Eva eenvoudig.
„Er stond te veel tussen ons in. Hoewel nu gelukkig blijkt
dat dat wel meevalt," voegde hij er snel aan toe. Zijn hand
gleed over haar gezicht. „Wat denk je ervan om het verleden
achter ons te laten en ons te concentreren op het heden en
de toekomst?"
Ze glimlachte hem warm toe. „Dat lijkt me een uitstekend
plan."
„Mooi." Hij grinnikte naar haar, een jongensachtige lach die
haar meteen weer heel sterk aan vroeger deed denken. „Dan
beginnen we bij de zeer nabije toekomst, namelijk het eten.
Ik rammel ondertussen van de honger."
Eindelijk startte hij de wagen en reed de straat uit, op weg
naar hun eerste afspraakje sinds lange tijd.

HOOFDSTUK 4

Het restaurantje waar Rutger Eva mee naar toe nam was klein, maar uiterst exclusief. Eva, die meer het type was van een snelle hap in een eetcafé, keek haar ogen uit bij het zien van de damasten tafellakens, het zilver dat de tafels sierde en de grote schilderijen en kroonluchters.

„Val ik hier niet uit de toon?" vroeg ze fluisterend. „Iedereen ziet er zo chique uit."

Rutger monsterde haar zwarte jurk en het enkele sieraad dat ze droeg.

„Je bent de mooiste die hier aanwezig is," sprak hij geruststellend.

Eva glimlachte flauwtjes. „Klinkt lief, maar ik ben daar toch niet helemaal van overtuigd."

„Voor mij in ieder geval wel," verzekerde hij haar. „Ik zou hier met niemand anders willen zijn."

Ze giechelde een beetje nerveus terwijl een toegesnelde ober haar stoel aanschoof. „Dat had je een paar jaar geleden vast niet gezegd. Toen was ik namelijk dertig kilo zwaarder dan nu. Ik had waarschijnlijk niet eens in deze stoeltjes gepast."

„Echt waar? Daar kan ik me weinig bij voorstellen. Ik ken jou niet anders dan zo." Rutger keek haar onderzoekend aan. „Hoe kwam dat? Waarom heb je je zo laten gaan dat het je helemaal uit de hand liep?"

„Onverwerkte emoties." Eva zei het luchtig, maar haar stem trilde. „Daar heb ik nog steeds last van, dus kijk maar uit met wat je me voorzet vanavond. Ik kan heel moeilijk maat houden."

Hij knikte begrijpend. „De abortus. Wat zit een mens toch vreemd in elkaar. Je neemt een besluit waar je volkomen achter staat en toch reageert je lichaam daar anders op."

„Dat klinkt alsof je daar ervaring mee hebt."

„Ach, mijn moeder had dat ook. Die heeft jaren last gehad van hyperventilatie, wat ook voornamelijk tussen haar oren zat. Ze verveelde zich enorm, maar had zich voorgenomen om huisvrouw en fulltime moeder te zijn en dat was een besluit waar ze absoluut niet op terug wilde komen. Toen wij ouder werden en haar niet meer de hele dag nodig hadden is ze gaan werken en sindsdien heeft ze er nooit meer last van gehad. Lichaam en geest werken heel nauw samen," meende Rutger.

Hij bestudeerde de wijnkaart en maakte een keus uit het grote aanbod. Even later schonk de ober een klein laagje in zijn glas. Hij proefde en knikte goedkeurend.

„Je gedraagt je alsof je je hier helemaal thuis voelt," merkte Eva op nadat ze hun bestelling hadden gedaan.

„Ik kom hier regelmatig."

„Dan moet het je toch heel erg goed vergaan zijn de laatste jaren. Je auto is geen middenklassertje en je kleding is volgens mij maatwerk."

Hij knikte tevreden. „Ik mag niet klagen. Op tv hoor je constant berichten over de recessie en bezuinigingen, maar ik verdien een goed belegde boterham. Ja Eva, kleine jongens worden groot."

„Wat doe je dan precies?" wilde ze weten.

„Ik zit in de elektronica." Hij maakte een vaag gebaar met zijn hand. „Computers, dvd-recorders, dat spul. Als vertegenwoordiger zit ik overal een beetje in."

„Klinkt interessant."

„Het is maar werk. Wat ik al zei, ik verdien goed, maar ik werk soms op onmogelijke uren. Mijn telefoon staat niet stil en ik kan het me niet veroorloven om niet op te nemen, want dan raak ik klanten kwijt. Dan weet je dat vast, het is geen onbeleefdheid van me als ik een telefoontje beantwoord. Wat doe jij eigenlijk?" leidde hij de aandacht van zichzelf af. „Je was indertijd van plan om geneeskunde te gaan studeren."

„Dat is gelukt. Ik werk alweer een paar jaar als arts op een consultatiebureau," vertelde Eva nu op haar beurt.

„Dat klinkt echt als iets voor jou."

„Ik heb het ook enorm naar mijn zin. Ik heb patiëntjes in de leeftijd van nul tot vier jaar, de leukste jaren van een kind.

Het is ongelooflijk om te zien hoe ze zich ontwikkelen in die tijd. Bij het eerste bezoek aan ons is het een kleine, hulpeloze en volkomen afhankelijke baby en bij het laatste bezoek kunnen ze gewoon alles wat een volwassen mens ook kan. Het is echt fascinerend."

„Maar met echte geneeskunde heeft het weinig te maken," meende Rutger. „Het enige wat je doet is kinderen nakijken en als je problemen met de gezondheid vermoedt, stuur je ze door."

Eva lachte even. „Dat klinkt wel erg simplistisch. Natuurlijk ben ik geen echte arts in de zin dat ik patiënten behandel of opereer, maar mijn taak is heel erg belangrijk. Juist bij die kleintjes, omdat ze het zelf niet aan kunnen geven als ze ergens last van hebben."

„Maak je het jezelf niet extra moeilijk zo? Je bent de hele dag met kleine kinderen bezig, terwijl je zelf…" Rutger stokte.

„Je mag het best zeggen," zei Eva kalm. Ze legde haar handen stevig op het tafelblad, zodat hij niet kon zien hoe ze trilden. „Noem het beestje maar bij de naam. Terwijl ik zelf een kind weg heb laten halen, wilde je zeggen. Misschien is dat juist wel de reden dat ik voor dit beroep heb gekozen. Als ik nooit een eigen kind krijg, kom ik er op deze manier toch mee in aanraking. Het maakt ook niet uit, het belangrijkste is dat ik geniet van mijn werk. Het is veelomvattend, afwisselend en boeiend. Behalve met de kinderen heb ik natuurlijk heel erg veel te maken met de ouders en dat is een hoofdstuk apart van mijn werk. Die zijn over het algemeen een stuk lastiger dan de kinderen," lachte ze.

Ze stopte met praten omdat hun voorgerecht gebracht werd. Precies op dat moment begon Rutgers mobiele telefoon te rinkelen en hij keek haar verontschuldigend aan. „Sorry, ik moet even opnemen."

„Ga gerust je gang."

Zwijgend begon Eva te eten terwijl Rutger een gedempt gesprek voerde. „Ja, ik zorg ervoor," hoorde ze hem zeggen. „Nee, geen probleem. Het wordt morgen geleverd. Het spijt me," vervolgde hij tegen Eva nadat het gesprek beëindigd was. „Ik realiseer me dat dit niet hoort als je met een vrouw uit bent."

„Dat geeft niet, het is nu eenmaal je werk. Al moet ik zeggen dat ik het wel vreemd vind dat je op zondagavond gebeld wordt," zei Eva peinzend.

„Klanten bellen op de raarste tijden. Sommige mensen menen dat ze alle mogelijke rechten hebben omdat ze ervoor betalen. In zekere zin is dat natuurlijk ook zo, dus blijf ik altijd beleefd, ook als het me niet uitkomt. Enfin, ander gespreksonderwerp graag. Hoe smaakt die salade?"

„Je mag best over je werk praten, dat doe ik zelf ook graag."

„Ik niet," zei Rutger kalm. „Ik werk omdat het me geld oplevert om leuke dingen te doen, meer niet. De uren dat ik niet aan de slag ben, wil ik er ook niet over praten."

„Meen je dat nou?" Eva was oprecht verbaasd over dit standpunt. „De meeste uren per week zijn gevuld met werk, dat vormt juist een heel belangrijk deel van je leven. Ik zou nooit een baan aan kunnen nemen alleen maar voor het salaris dat ertegenover staat."

„Jij niet, nee." Rutger glimlachte naar haar. „Jij bent echt iemand die zich met hart en ziel op haar vak stort. Ik had ook niet anders verwacht van je. Vroeger was je al zo gedreven in alles wat je aanpakte. Jij hebt nog nooit iets half gedaan, zelfs het verbreken van onze relatie pakte je grondig aan."

„Daar stond ik ook volkomen achter, hoewel dat de moeilijkste periode uit mijn leven is geweest."

„Dat bedoel ik. Het viel je zwaar, toch zette je alles door omdat je geloofde dat dat het beste was. Je nam een besluit en handelde daarnaar, zonder op twee gedachten te blijven hinken. Ik heb dat altijd heel erg bewonderd in je, vooral omdat ik zelf niet zo ben. Ik mis jouw kracht, Eva."

„Dat zal wel meevallen. Je hebt twee jaar op straat geleefd, maar moet je nu eens naar jezelf kijken. Je hebt het gemaakt, helemaal op eigen kracht."

Rutger schudde zijn hoofd. „Dat is niet helemaal waar. In materieel opzicht heb ik niets te klagen, voor de rest voel ik me echter vaak genoeg een mislukkeling. Ik ben dertig jaar en sta helemaal alleen op de wereld. Mijn ouders leven niet meer, met mijn broers en zussen heb ik geen contact en ik heb geen vrouw of kinderen."

„Welkom bij de club," zei Eva met een wrang lachje.

„Ik begrijp niet dat jij nog steeds alleen bent, hoewel ik daar wel erg blij om ben." Hij pakte haar handen vast en Eva was blij dat ze zat, anders was ze vast omgevallen. Haar lichaam leek ineens wel van rubber. Rutgers aanrakingen hadden nog steeds dezelfde uitwerking op haar als vroeger. „Geloof jij in het lot?"

„Soms," ontweek ze een rechtstreeks antwoord.

„Ik heb er nooit in geloofd, maar dat moet ik nu herzien. Ik denk dat het lot ons samen heeft gebracht. Vroeger waren we onafscheidelijk, het kan geen toeval zijn dat we elkaar twaalf jaar later weer tegenkomen en allebei geen partner hebben. Dat heeft zo moeten zijn," zei Rutger ernstig. Hij bracht haar handen naar zijn lippen en drukte er een lichte kus op. Eva voelde zich duizelig worden van geluk. Diezelfde ochtend had ze zich nog eenzaam en beroerd gevoeld, dat leek nu onvoorstelbaar. Zomaar ineens, vanuit het niets, leek haar grootste wens vervuld te worden.

„Ik hou nog steeds van je," fluisterde ze. De woorden leken van ergens buiten vandaan te komen, maar ze meende ze uit de grond van haar hart. Rutger was altijd haar grootste liefde geweest en gebleven.

„Ik hou ook nog steeds van jou. Wat doen we hier dan nog?" zei hij schor. „Kom mee, we hebben zoveel tijd in te halen. Zoveel verloren jaren." Hij stond op en hielp haar overeind. De toegesnelde ober drukte hij met een nonchalant gebaar wat bankbiljetten in zijn handen. „We hebben ons bedacht. Laat de rest maar zitten." De man boog als een knipmes bij het zien van het bedrag dat hij toegestopt had gekregen en hij wist niet hoe snel hij Eva in haar jas moest helpen.

Eenmaal in de auto zette Rutger koers naar Eva's flat. Die was dichterbij en iedere seconde langer wachten leek ondraaglijk nu. Nog voordat de voordeur achter hen in het slot zat, stortten ze zich in elkaars armen.

„O Eva, ik heb je zo gemist," kreunde Rutger. „Maar weet je dit zeker? Ik ben je niet waard. Ik ben zo'n schoft geweest."

„Ssst, dat is verleden tijd." Met een teder gebaar legde ze haar vinger over zijn lippen. „Daar zouden we niet meer over praten, weet je nog? Alleen het heden is belangrijk."

In een roes liet ze zich meevoeren naar haar slaapkamer. Alle eenzame, moeilijke jaren die achter haar lagen telden niet meer. Uiteindelijk hadden die hier naartoe geleid, dus waren ze alle ellende dubbel en dwars waard geweest. Met zijn lippen op de hare en zijn handen op haar lichaam, voelde Eva zich alsof ze weer zeventien was en op het punt stond om voor de eerste keer de liefde te bedrijven. Niet alleen met haar lichaam, maar met haar hele hart en ziel.

Hoewel ze maar een paar uur geslapen had, voelde ze zich de volgende morgen fit en uitgerust toen haar wekker om zeven uur afliep. Met een gelukzalig gevoel nestelde ze zich even tegen de nog slapende Rutger aan. Dit was de eerste keer dat ze samen een hele nacht hadden doorgebracht, realiseerde ze zich. Vroeger hadden hun vrijpartijen plaatsgevonden tijdens gestolen uurtjes, als zijn of haar ouders een avondje weg waren. Voor haar ouders was het onbespreekbaar geweest dat Rutger de nacht bij haar door zou brengen en omdat hij zijn slaapkamer deelde met zijn jongere broer was een logeerpartij bij hem thuis ook geen optie geweest. Ze waren net bezig geweest met het plannen van hun eerste, gezamenlijke vakantie toen hun relatie verslechterde, herinnerde Eva zich. Rutger ging zich toen steeds onverschilliger gedragen en besteedde meer tijd aan zijn zogenaamde vrienden dan aan haar. Drie maanden later was ze tot de ontdekking gekomen dat ze zwanger was.

Niet meer aan denken, vermaande ze zichzelf. Ze moest eens leren het verleden te laten rusten. Alles uitvlakken was helaas niet mogelijk, maar het had geen nut om er constant naar terug te grijpen, al was dat dan makkelijker gezegd dan gedaan. De herinneringen uit het verleden besprongen haar op de gekste momenten, zeker nu het verleden naast haar licht lag te snurken. Omdat ze niet wist hoe laat Rutger met zijn werk moest beginnen, schudde ze hem zachtjes heen en weer.

„Lieverd, het is zeven uur geweest," zei ze zacht terwijl ze een kus op zijn wang drukte. „Hoe laat moet jij opstaan?"

„Zeven uur pas?" knorde hij. Met een ruk trok hij het afgegleden dekbed over zich heen. „Dat is nog nacht."

„Voor een normaal mens niet," zei Eva met een klein lachje.

„Voor mij wel. Voor negenen sta ik zeker niet op," mompelde hij. „Laat me maar liggen."

„Oké. Ik leg de sleutel op de eettafel, dan kun je de deur op het slot draaien als je weggaat."

Liefdevol gaf ze hem nog een zoen voor ze onder de douche ging. Rutger had dus last van een ochtendhumeur, wat leuk! Kijk, dat waren nou dingen die ze vroeger nooit ontdekt had. Terwijl ze zich afdroogde, schoot Eva plotseling hardop in de lach. Nu vond ze het leuk, over een jaar liep ze er waarschijnlijk op te mopperen, grinnikte ze in zichzelf. Ach, wat was het toch heerlijk om verliefd te zijn en alles door een roze bril te zien!

Meer zwevend dan lopend betrad ze even later het consultatiebureau, ruim een kwartier vroeger dan anders omdat alles vandaag veel sneller leek te gaan. Toen ze hier vrijdagmiddag wegging had ze nog opgezien tegen het weekend en plannen zitten maken om de lege uren op te vullen, wist ze weer. Ongelooflijk hoe alles in twee dagen kon veranderen. Met Rutger aan haar zijde zou ze geen last meer hebben van lege uren of van eenzaamheid.

De telefoon op haar bureau begon te rinkelen en vrolijk nam ze op.

„Met mij," klonk Viola's stem. „Hoe was je etentje met Rutger? Vertel op, ik barst van nieuwsgierigheid."

„We hebben niet zoveel gegeten," antwoordde Eva naar waarheid.

„Des te beter voor je lijn," giechelde Viola. „Maar vertel nou. Was het leuk of viel het tegen? Hoe was Rutger? Is hij veel veranderd?"

„Nee. Tenminste, in vergelijking met het laatste halfjaar van onze verkering wel, maar voor de rest niet. Hij is nog net zo leuk als toen ik hem net leerde kennen," vertelde Eva dan eindelijk. „Het klikte ook weer onmiddellijk tussen ons."

„Dat klinkt veelbelovend."

„Is het ook. Hij eh…" Eva aarzelde even. „Hij ligt nu in mijn bed te slapen," vervolgde ze toen.

„Nu? Bedoel je…? Nou, dan kun je zeker wel stellen dat het klikte. Loop je niet een beetje erg hard van stapel, Eef? Je kent hem nauwelijks," zei Viola bezorgd.

„Ik ken hem al veertien jaar," protesteerde Eva.

„Je weet heel goed dat ik dat niet bedoel. Jullie zijn inmiddels beiden volwassen mensen, het is niet meer hetzelfde als toen."

„Zo voelde het anders wel. Ik ben weer net zo verliefd en Rutger ook. Het was fantastisch gisteravond," verdedigde Eva zich.

„Ik ben bang dat jij je verwachtingen heel erg hoog stelt," meende Viola voorzichtig. „Begrijp me niet verkeerd, ik zou het heerlijk voor je vinden als dit echt iets wordt, maar ik heb het idee dat jij denkt dat jullie verder kunnen gaan waar je twaalf jaar geleden gebleven bent. Je beschouwt dit volgens mij niet als een nieuwe relatie, maar als een vervolg op de oude. Net of die twaalf jaren er niet geweest zijn."

„Zo is het niet helemaal," zei Eva, denkend aan de problemen die ze in die twaalf jaar had ondervonden. Viola wist lang niet alles. „Natuurlijk moeten we elkaar weer helemaal ontdekken, maar het gevoel is goed. Van beide kanten."

„Dat is in ieder geval het belangrijkste. Ik wil ook niet zeuren, ik vind het echt heel erg fijn voor je," besloot Viola het gesprek.

Ze had Eva echter wel iets gegeven om over na te denken. Had Viola niet een beetje gelijk? Rutger was vertrouwd, dat had ongetwijfeld meegespeeld gisteravond. Normaal gesproken was ze niet zo vlot met haar affecties. Als ze Rutger nu had leren kennen, zonder hun gezamenlijke verleden, had ze hem misschien niet eens een tweede blik waardig gekeurd. Maar dat verleden was er nu eenmaal wél, dus waarom zou ze dat ontkennen? Vroeger was ze stapelverliefd op hem geweest, het was helemaal niet vreemd dat die gevoelens nu weer de kop opstaken, ook al waren ze allebei veranderd.

Nee, Viola zag het verkeerd, wist Eva opeens heel zeker. Ze zette de relatie met Rutger niet voort, ze begonnen opnieuw. Met een schone lei, zonder elkaar verwijten te maken over wat er vroeger allemaal gebeurd was. Die constatering gaf haar een prettig gevoel.

Zou ze hem opbellen? Gewoon, om zijn stem even te horen? Eva strekte haar hand al uit naar de hoorn, maar aarzelde toen toch weer. Voor negenen kwam hij nooit zijn bed uit, had hij gezegd. Het was nu nog geen half negen, dus ze kon het beter niet doen. Vanavond zou ze hem ongetwijfeld weer zien. Het begon alweer te kriebelen in haar buik bij die gedachte.

Een klopje op de deur deed haar opschrikken.

„Zat je te slapen?" informeerde Sabrina. „Je eerste afspraak was om kwart over acht, Thijs Elswijk. Hij is al tien minuten bezig met het slopen van de wachtruimte en zijn moeder is behoorlijk chagrijnig."

„Sorry, ik was de tijd vergeten," verontschuldigde Eva zich, niet helemaal naar waarheid. Ze wist exact hoe laat het was, ze had zich alleen niet gerealiseerd dat haar werkdag begonnen was. Haar hoofd en haar hart vertoefden nog te veel bij de afgelopen dag en nacht. „Laat ze maar meteen binnen komen."

Met moeite lukte het haar om haar aandacht op haar kleine patiëntjes en hun ouders te richten.

De gedachte aan Rutger bleef echter constant in haar achterhoofd zitten, als een vrolijk muziekje dat je maar niet van je af kon zetten. Ze zou, net als iedereen die net aan een nieuwe relatie begon, af moeten wachten hoe het zich in de toekomst zou gaan ontwikkelen tussen hen, maar diep in haar hart was ze ervan overtuigd dat dit ware liefde was. Eindelijk had ze dan toch gevonden waar ze al jaren naar

verlangde. En ook al was de prille ochtend minder romantisch verlopen dan ze had verwacht en gehoopt, haar dag
kon in ieder geval niet meer stuk.

HOOFDSTUK 5

Om half tien rinkelde haar telefoon opnieuw, dit keer was het Rutger.

„Goedemorgen, liefste," klonk zijn stem warm in haar oor.

„Goedemorgen? Voor mij is het al middag," plaagde ze.

Hij lachte kort. „Het spijt me, 's morgens ben ik nooit op mijn best. Ik vrees dat je daaraan zal moeten wennen."

Die woorden gaven Eva een tintelend gevoel in haar maagstreek. Hij had dus alles gemeend wat hij had gezegd, ze was niet zomaar een one-night stand voor hem geweest. Niet dat ze daar echt bang voor was, maar het was prettig om die bevestiging te krijgen. Rutger was duidelijk net zo serieus als zij.

„Hoe laat ben je vanavond thuis?" vroeg hij.

„Rond half zes," antwoordde Eva na een snelle blik in haar agenda. Om half vier kwam het laatste kindje van die dag voor een gehoortest, daarna had ze nog een bespreking met een pedagoog over een cursus opvoeden van peuters, die binnenkort op het consultatiebureau gehouden zou worden.

„Dan ben ik er waarschijnlijk ook wel. Kom naar mij toe, dan zorg ik vanavond voor het eten," stelde Rutger voor.

„Jij? Is dat verantwoord?"

„Ik ben de beste kok van de stad," schepte hij op.

„Oké, dan zal ik dat risico maar nemen," gaf Eva lachend toe. „Tot vanavond dan."

„Ik verheug me er al op," zei hij nog voor het gesprek verbroken werd.

Eva had net neergelegd toen het toestel alweer begon te rinkelen. Denkend dat het opnieuw Rutger was die iets vergeten was te zeggen, nam ze op met de woorden: „Kun je nu echt geen genoeg van mijn stem krijgen?"

Even bleef het stil. „Is dit Eva Lieversen?" vroeg de persoon aan de andere kant van de lijn toen. Het was een stem die Eva bekend voorkwam, maar die ze niet zo snel thuis kon brengen.

„Ja, sorry," verontschuldigde ze zich. „Ik dacht dat ik mijn vriend aan de lijn zou krijgen. Met wie spreek ik?"

„Met Benno Landman. Ken je me nog?"

„Natuurlijk, jij bent kinderarts in het algemene ziekenhuis hier," herinnerde Eva zich. Ze had hem ooit ontmoet tijdens een receptie ter ere van de opening van de nieuwe kinderafdeling. Benno was een nog jonge arts, die zich vol enthousiasme op zijn werk stortte en heel gedreven kon praten over 'zijn' kinderen. „Wat kan ik voor je doen?"

„Helaas bel ik niet voor de gezelligheid. Zegt de naam Leonie Huizinga je iets?"

„Jazeker. Op het gewone spreekuur heb ik haar pas twee keer gehad, maar ze komt hier regelmatig tussendoor met haar overbezorgde moeder. Voor zover ik kan beoordelen is Leonie kerngezond, maar bij ieder hoestje wil haar moeder een verwijzing naar een specialist. Is ze nu bij jou geweest? Wat is jouw mening over haar?" vroeg Eva.

„Het spijt me dat ik het zeggen moet, maar Leonie is vannacht gestorven aan wiegendood," vertelde Benno toen.

„Wat?" Eva sloeg verbijsterd een hand voor haar mond. „O, wat vreselijk!" Haar hersens werkten ineens op volle toeren. Een paar dagen geleden was Michelle hier nog geweest vanwege de verkoudheid van Leonie. Had ze iets over het hoofd gezien? Was ze de fout ingegaan omdat Michelle haar irriteerde met haar overbezorgdheid? Het was een beangstigende gedachte.

„Dit is absoluut niet jouw schuld," verzekerde Benno haar alsof hij haar gedachten kon raden. „Ik had vannacht dienst op de spoedeisende hulp, maar het was al te laat toen Michelle met haar binnen kwam rennen. Ze was bij haar gaan kijken voor ze zelf naar bed wilde gaan en vond haar met een blauw aangelopen gezichtje in haar ledikantje. In paniek heeft ze de baby opgepakt en is hierheen gekomen, maar we konden niets meer doen."

„Ze is hier pas nog geweest," zei Eva moeilijk. „Misschien heb ik iets over het hoofd gezien. Als ik haar wel een verwijzing had gegeven…"

„Dan was dit ook gebeurd," onderbrak Benno haar beslist.

„Jij weet net zo goed als ik dat dit niet te voorkomen was geweest. Er is helemaal niets wat je had kunnen doen om dit voor te zijn. Konden we dat maar wel." Die laatste woorden klonken geëmotioneerd. „Enfin, ik vond dat je het moest weten. Bovendien wil ik je even waarschuwen voor de moeder. Het is logisch dat ze compleet in de war is, maar ze ging hier nogal hysterisch tekeer en riep dat het allemaal jouw schuld is. Jij wilde niet geloven dat haar kind ziek was, schreeuwde ze. Misschien denkt ze er anders over als ze eenmaal wat gekalmeerd is, maar ze dreigde dat ze een officiële aanklacht tegen je in zou dienen, vandaar dat ik je bel. Als ze dat echt doet ben je tenminste voorbereid en valt het niet zo rauw op je dak."

„Dank je wel," bracht Eva uit. „Maar vind jij ook niet…"

„Nee, Eva," onderbrak hij haar voor de tweede keer. Zijn stem klonk streng. „Haal je geen muizenissen in je hoofd, Leonies overlijden is het schoolvoorbeeld van wiegendood. Als ik ook maar één seconde zou denken dat een nalatigheid van jou hierin een rol had gespeeld, had ik je nooit gebeld om je te waarschuwen. Als jij dit op je geweten zou hebben, zou ik je hoogstpersoonlijk hebben aangeklaagd, bedenk dat goed."

„Het is lief dat je dat zegt, maar ik voel me er toch niet lekker bij," bekende Eva.

„Dit soort gevallen zijn erg ingrijpend, dus dat is logisch. Probeer het je niet persoonlijk aan te trekken. Je hoeft in ieder geval niet bang te zijn. Zelfs als Michelle inderdaad een aanklacht indient, dan zal het ongetwijfeld ongegrond worden verklaard," stelde Benno haar gerust.

„Dat is niet wat me nu het meeste bezighoudt. Arme Leonie en arme Michelle. Wat zal ze zich doodongelukkig voelen nu." Eva huiverde. Ook al was ze zelf geen moeder, ze kon zich enigszins indenken hoe het moest voelen om een kind te verliezen. Haar hart ging uit naar Michelle. Dit was de derde keer dat ze iets dergelijks meemaakte in haar praktijk, maar het wende nooit. Ze was altijd van slag af na zo'n bericht, zeker nu ze het betreffende kindje pas nog had gezien en had onderzocht. In gedachten ging ze die dag nog eens na, ondanks de geruststellende verzekering van Benno dat het haar schuld niet was. Net als hij kon ze niet anders dan concluderen dat ze niet anders had kunnen handelen. Met haar verstand wist ze dan ook heel goed dat haar absoluut niets te verwijten viel, toch had ze er de hele dag last van. Ze betrapte zichzelf erop dat ze haar kleine patiëntjes extra zorgvuldig onderzocht en verschillende dingen twee keer controleerde. Ze liet Sabrina haar bespreking voor die middag verzetten naar de volgende dag, omdat hierdoor haar spreekuur behoorlijk uitliep.

Omdat de bespreking nu niet doorging was ze vrij vroeg voor haar afspraak met Rutger en na enige aarzeling besloot ze Michelle Huizinga een bezoekje te brengen. Als Benno gelijk had, wilde ze haar misschien niet zien, maar ze kon toch niet anders doen dan haar medeleven betuigen.

De deur werd geopend door een oudere vrouw, die erg op Michelle leek en van wie Eva aannam dat het haar moeder was. Vragend keek de vrouw haar aan.

„Goedemiddag, ik ben Eva Lieversen, de consultatiebureau-arts van Leonie," stelde Eva zich voor. „Ik hoorde wat er gebeurd is. Ik vind het zo erg."

„Het is aardig van u om langs te komen, maar het lijkt me beter dat u niet binnenkomt," zei de vrouw aarzelend met een blik achter zich. „Mijn dochter is eh…"

„Ik begrijp het al," knikte Eva.

„Het spijt me. Michelle is op dit moment niet voor rede vatbaar. Begrijpelijk." De vrouw veegde met een vermoeid gebaar een haarlok van haar voorhoofd weg. „Het is zo'n verschrikkelijke klap. Leonie was alles voor haar. Ze verwijt u dat u nalatig bent geweest. Ik niet, hoor," voegde ze er haastig aan toe. „Dit was niet te voorzien geweest."

„Ik neem het haar niet kwalijk. Mag ik u heel erg veel sterkte wensen? Voor Michelle ook natuurlijk, maar ik ben bang dat ze dit van mij niet zal willen horen." Eva schudde de vrouw stevig de hand. „Als er iets is wat ik kan doen, laat het me dan zeker weten."

„Dank u wel voor uw bezoekje. Ik zal het in ieder geval aan Michelle doorgeven."

Diep onder de indruk van dit korte bezoek en het verdriet dat ze in de ogen van de vrouw had gezien, arriveerde Eva even later bij Rutger.

„Je bent precies op tijd," begroette hij haar. „Het eten is bijna klaar. Hé, wat is er met jou aan de hand? Je kijkt zo bedrukt."

„Het was een moeilijke dag. Een overlijdensgeval." In de veilige cirkel van zijn troostende armen vertelde Eva wat er allemaal gebeurd was. Het was heerlijk om een uitlaatklep te hebben bij dit soort ingrijpende gebeurtenissen, bedacht ze. Anders had ze nu in haar eentje thuisgezeten en was ze ongetwijfeld aan het piekeren en aan het eten geslagen. Waarschijnlijk had ze dan Viola wel gebeld om even haar hart te luchten, maar een telefoontje was toch iets heel anders dan praten met iemand die je aankeek, begreep en probeerde op te beuren. Tot haar opluchting deed Rutger het niet af als iets onbelangrijks of iets wat nu eenmaal gebeurde, maar reageerde hij heel geïnteresseerd en begrijpend. Ze voelde zich meteen een stuk beter. Het was wonderlijk hoe vertrouwd ze zich bij hem voelde. Natuurlijk deelden ze een stuk verleden, maar dat was alweer jaren geleden en sinds die tijd waren ze allebei veranderd. Volwassen geworden. Juist die meest belangrijke periode in een mensenleven, de tijd waarin ze zich hadden ontwikkeld, hadden ze niet samen doorgebracht, toch voelde dat niet als een gemis. Het voelde eerder alsof ze nooit uit elkaar waren gegaan en elkaar door en door kenden, terwijl er tegelijkertijd ook de spanning was die hoorde bij een nieuwe relatie. De kriebels in haar maagstreek, de haartjes op haar armen die overeind gingen staan als hij haar aanraakte, het snelle kloppen van haar hart als haar blik de zijne ving. Pure verliefdheid, maar dan wel eentje die zich veel verder uitstrekte. Wat er vroeger mis was gegaan tussen hen telde niet. Eva verweet hem niets, was alleen maar blij dat ze weer samen waren. De wetenschap dat ze een kind van twaalf jaar had-

50

den kunnen hebben samen, duwde ze ver weg. Aan dat stuk van het verleden wilde ze niet denken, dat was afgesloten. Het enige wat belangrijk was, was dat ze elkaar terug hadden en met een schone lei opnieuw konden beginnen.

„Waar zit je met je gedachten?" vroeg Rutger.

„Bij jou, bij ons," bekende Eva blozend. „Het is zo vreemd dat we hier zitten en tegelijk zo normaal. Alsof het zo hoort."

„Het hoort ook zo," sprak hij beslist, met zijn ogen diep in die van haar. „Wij zijn voor elkaar bestemd, het heeft alleen even geduurd voor we daarachter kwamen. Ik hou van je, Eva. Dat heb ik al die tijd gedaan, ik moest je alleen weer tegenkomen om me dat echt te realiseren. Deze keer is het voor altijd."

„Hoe weet je dat?" vroeg Eva zich af, hoewel zij het precies zo voelde. „We kennen elkaar eigenlijk helemaal niet. We hebben allebei geen idee wat de ander de afgelopen jaren gedaan heeft. Misschien kom je over een paar weken wel tot de ontdekking dat ik heel erg tegenval."

„Nooit. Als er iemand tegenvalt, zal ik het wel zijn. Maar ik kan veranderen, Eva. Ik ga ervoor zorgen dat ik je waard ben," beloofde Rutger ernstig.

„Hoe bedoel je dat?" Zijn woorden maakten haar een beetje angstig. Het klonk alsof hij heel wat te verbergen had. Een diep, duister geheim waar zij niets van af mocht weten.

Rutger maakte een vaag gebaar met zijn handen. „Wat werk betreft en zo," antwoordde hij luchtig. „Ik werk soms tachtig tot honderd uur per week, maar dat ga ik afbouwen. Ik wil meer tijd overhouden om samen met jou door te brengen."

Er ontsnapte haar een zucht van opluchting. Heel even had het geleken of er een donkere wolk voor haar stralende zon was gekomen, maar die werd gelukkig meteen weer weggeblazen.

„Doe jezelf voor mij geen geweld aan," zei ze. „Natuurlijk wil ik je graag vaak zien, maar je moet wel je leven kunnen blijven leiden zoals je dat zelf wilt. Ik ben ook niet van plan om mijn tennisclub en de band op te zeggen of zo. Ieder apart hebben we een leven opgebouwd en we moeten een manier zien te vinden om elkaar daar in te passen zonder dat het ten koste gaat van andere zaken."

„Het is wel de bedoeling dat jij prioriteit nummer één wordt." Rutger trok haar in zijn armen en begon haar te zoenen. „Straks moet ik weer weg, maar tot die tijd heb je mijn volledige aandacht."

Eva begon te lachen. „Kijk, zo hoort het," prees ze plagend. „Het gaat niet om de kwantiteit, maar om de kwaliteit. Als je de uren die je er bent altijd op deze manier doorbrengt, zul je mij niet horen klagen."

Meer kans om iets te zeggen kreeg ze niet, want Rutger sloot haar mond af met de zijne en met een zucht van geluk gaf ze zich aan hem over. Het gevoel dat hij in haar losmaakte was zo overweldigend dat er geen ruimte overbleef voor iets anders.

Een uur later keek hij met een spijtige blik op zijn horloge. „Het is jammer, maar ik moet echt zo weg."

„Weet je dat zeker?" Eva kroop dicht tegen hem aan. Het afgelopen uur was zo intens geweest, het liefst zou ze nu een hele tijd stil naast hem willen liggen om na te genieten. „Ik weet dat ik beloofd heb om niet te klagen, maar ik lig zo heerlijk bij je."

„Het spijt me, schat. Albert komt me zo halen en het lijkt me prettiger om dan gedoucht en aangekleed te zijn." Hij gaf een zoen op haar haren en stond op.

„Ga je met hem op stap?" vroeg Eva.

„Zo zou ik het niet willen noemen. Albert en ik zijn zakenpartners. We vertegenwoordigen dezelfde bedrijven, dus we gaan heel vaak samen naar potentiële klanten toe om ze over te halen zaken met ons te doen. We vormen een goed team samen, moet ik zeggen."

„Vertel me daar eens wat meer over. Het klinkt allemaal zo vaag. Wat houdt jouw werk nu precies in?"

„Een andere keer," zei hij enigszins kortaf.

„Ik mag toch wel weten waar je naartoe gaat? Het is avond,

dan zijn volgens mij de meeste bedrijven gesloten," hield Eva vol.

„Hè, hou op," reageerde Rutger geïrriteerd. „Daar begrijp jij toch niets van."

„O, dank je wel. Ik wist niet dat ik achterlijk was," zei Eva beledigd.

„Zo bedoel ik het niet, liefje." Hij ging naast haar op de rand van het bed zitten en zuchtte. „Maar om dit te snappen moet ik je de hele constructie uitleggen en daar heb ik nu geen tijd voor en geen zin in. Ik heb je al eens gezegd dat ik niet graag over mijn werk praat als ik vrij ben. Trouwens, ik ben van plan om ermee te stoppen en een baan met normale werktijden te gaan zoeken. Nu ik jou heb, vind ik het niets om 's avonds steeds weg te moeten."

„Die laatste zin maakt veel goed," lachte Eva alweer. Ze sloeg haar armen om zijn nek en zoende hem, maar hij maakte zich voorzichtig los uit haar omhelzing.

„Kleed je aan, Albert komt zo," zei hij slechts.

Zwijgend volgde ze hem naar de badkamer, die er schoon, maar rommelig uitzag. „Je mag hier wel eens opruimen," zei ze. „Mijn hemel Rutger, wat een enorme voorraad medicijnen heb je. Wat mankeer je in vredesnaam dat je zoveel slikt?" Geschrokken keek ze naar de vele doosjes op een plank boven de wastafel, die duidelijk van de apotheek afkwamen.

„Dat zijn allemaal oude," verontschuldigde hij zich. „Ik wil ze niet zomaar weggooien, maar ik kom er maar niet toe om ze in te leveren. Steeds als ik naar de apotheek moet vergeet ik ze, je weet hoe zoiets gaat."

Eva monsterde de uitstalling, die voornamelijk uit pijnstillers bleek te bestaan. Wat haar vooral opviel was de grote voorraad Depronal, een behoorlijk zware pijnstiller die alleen op recept verkrijgbaar was, maar die niet snel werd voorgeschreven. „Waarvoor gebruik je die?" wilde ze weten.

„Rugpijn. Ik heb ooit een ongeluk gehad, waarbij mijn rug behoorlijk beschadigd raakte. Inmiddels gaat het wel weer, maar deze pillen gebruikte ik om de ergste pijn te bestrijden. Omdat ik vervolgens een probleem aan mijn lever kreeg moest ik ermee stoppen, net toen ik een nieuw recept had opgehaald. Daarom zijn het er ook zoveel. Daarna heb ik andere pillen gebruikt, nu heb ik ze niet meer nodig."

„Ik zou ze maar zo snel mogelijk inleveren als ik jou was," adviseerde Eva. „Dit spul is gevaarlijk."

„Alleen als je er te veel van slikt en dat ben ik heus niet van plan," zei Rutger schouderophalend. „Maar je hebt gelijk, ik hoop er de volgende keer dat ik naar de apotheek moet aan te denken om ze mee te nemen."

„Doe ze in een tasje, dan neem ik ze mee," bood Eva aan.

„Goed plan, maar nu niet. Nu ga je je haasten voordat Albert komt en jou in je blootje aantreft," zei Rutger beslist.

Ze was inderdaad nog maar net aangekleed toen Albert arriveerde.

„Daar is onze mooie Eva," zei hij charmant. Hij pakte haar hand en bracht die naar zijn lippen, waarbij hij haar recht aankeek.

„Stel je niet zo aan," zei Rutger kortaf.

„Hij is jaloers," zei Albert met een knipoog naar Eva. „Ja jongen, dat komt ervan als je zo'n mooie vrouw aan de haak slaat. Andere mannen genieten daar ook van."

„Hou nou maar op, want je maakt me verlegen," weerde Eva hem lachend af. Stiekem genoot ze echter van zijn aandacht en van de donkere blik van Rutger als reactie daarop. „Gaan jullie nou maar lekker aan het werk, dan ga ik me uitleven op de tennisclub. Doe de groeten aan jullie klanten." Dat laatste voegde ze er ironisch aan toe met een blik op Rutger. Albert keek met een ruk op. „Wat weet jij van onze klanten?" vroeg hij wantrouwend. Zijn ogen vernauwden zich even in zijn brede gezicht.

„Niets," haastte Rutger zich kort te zeggen. „Ben je klaar, Eva? Kunnen we je een lift geven?"

„Nee, ik ben met mijn eigen auto. Ik ga thuis mijn spullen halen en dan ga ik tennissen met Viola."

„Tennissen, het is lang geleden dat ik dat heb gedaan," mijmerde Albert. „Ik zou het best wel weer willen.

Misschien word ik ook wel lid van jouw club."

„We kunnen best wat nieuwe leden gebruiken op dit moment, want er hebben er pas een paar opgezegd. We doen alleen niet aan officiële wedstrijden mee, het is puur recreatief," vertelde Eva. „Kleinschalig, maar heel erg gezellig."

„Dat lijkt me wel wat. Ik kom binnenkort wel eens kijken," beloofde Albert.

„Leuk. Is het niets voor jou ook, Rutger?"

„Als Albert lid wordt kom ik zeker," zei die grimmig.

„Ik zei het al, hij is jaloers," zei Albert triomfantelijk. „Maak je geen zorgen, ouwe jongen, ik zit je maar wat te stangen." Hij wierp Eva echter een veelbetekenende blik toe en ze bloosde. Ze wist nooit goed hoe ze op dergelijke opmerkingen moest reageren, hoewel ze normaal gesproken toch niet op haar mondje gevallen was. Ze stond overal bekend als een vlotte vrouw die haar woordje altijd klaar had en heel ad rem kon reageren, maar met complimentjes of geflirt wist ze geen raad. Dan kwam haar onzekere aard onmiddellijk weer bovendrijven. Ze kon zich niet voorstellen dat iemand het serieus meende als er iets aardigs werd gezegd en voelde zich dan in het nauw gedreven omdat ze niet wist of ze dan moest lachen of iets vinnigs terugzeggen.

Wat haar betrof mocht die Albert wegblijven bij haar club, want hij maakte haar behoorlijk nerveus met zijn geflirt.

„De komende dagen heb ik het erg druk, maar donderdagavond kom ik naar je toe en dan gaan we samen iets leuks doen," beloofde Rutger haar bij het afscheid.

„Dan heb ik showrepetitie," zei Eva spijtig.

„Kun je dat niet afzeggen?"

Even aarzelde ze, toen schudde ze toch haar hoofd. „Nee, ik ben nu eenmaal lid van de band en dat brengt verplichtingen met zich mee," zei ze beslist. „Zaterdag zijn we de hele dag weg voor optredens, maar zondag heb ik nog niets."

„Dan gaan we zondag samen op stap, al vind ik het een vreselijk idee dat het nog bijna een week duurt voor het zover is. Ik bel je in ieder geval en hoop tussendoor nog wat tijd te hebben om naar je toe te komen." Hij gaf haar een lange zoen en stapte toen bij Albert in zijn dure sportwagen.

Eva zwaaide hen nadenkend na. Ze wist niet goed wat ze moest denken van die geheimzinnigheid wat betreft zijn werk, aan de andere kant was ze reëel genoeg om toe te geven dat ze absoluut geen verstand had van het bedrijfsleven. Het was jammer dat Rutger er liever niet over wilde praten, want ze wilde nu eenmaal alles van hem weten. Dat het hem voor de wind ging was echter wel duidelijk. Met zijn maatpak, zijn luxe appartement en zijn dure wagen was hij het schoolvoorbeeld van de geslaagde zakenman. Ze grinnikte even bij de herinnering aan Rutger zoals ze hem twaalf jaar geleden voor het laatst had gezien. Toen droeg hij tot op de draad versleten kleding en hing zijn haar in vettige slierten rond zijn hoofd. Werken vond hij in die tijd een vies woord en hij had al menige politiecel vanbinnen gezien vanwege de duistere praktijken waar hij zich mee bezig hield. Wat een enorm verschil! Gek dat ze zich zo vertrouwd voelde bij hem, want in de meeste opzichten was hij een wildvreemde voor haar, als ze hem vergeleek met vroeger. Ze moesten elkaar inderdaad weer helemaal opnieuw leren kennen, maar dat vond ze alleen maar leuk. Hun gevoelens voor elkaar waren in ieder geval niet veranderd en ze hadden nog een heel leven voor zich om elkaar weer te ontdekken. Bij die gedachte stroomde er een warm gevoel door haar lichaam. Een heel leven met Rutger, ze kon zich niets beters voorstellen.

Hoewel Eva een emotionele dag achter de rug had, voelde ze zich fit en energiek. Ze haastte zich dan ook naar haar eigen huis en daarvandaan naar de tennisbaan. Het was lang geleden dat ze zich zo goed had gevoeld. Meestal deed ze slechts alsof, maar nu voelde ze de energie door haar lichaam stromen en leek ze te barsten van geluk. Verwonderd vroeg ze zich af hoe het mogelijk was dat haar leven in slechts één weekend zo'n enorme wending ten goede had genomen.

HOOFDSTUK 6

Het leven was ineens één groot feest voor Eva. Ze kon zich niet voorstellen dat ze zich enige weken geleden, op haar dertigste verjaardag, zo eenzaam en verloren had gevoeld. Plotseling was alles anders geworden en dat alleen maar door de onverwachte ontmoeting met Rutger. Ze stak nu een stuk beter in haar vel, straalde aan alle kanten uit dat ze verliefd was en voelde zich energiek, fit en gezond. Haar eetbuien waren als sneeuw voor de zon verdwenen en alles liep op rolletjes, zowel op het persoonlijke vlak als op haar werk. Hoewel ze Rutger weinig zag, was alleen de wetenschap dat hij bestond al genoeg. De uren die ze samen doorbrachten waren volmaakt. Hun ongelukkige verleden was verwerkt, het enige wat nog telde was de toekomst.

Ondertussen naderde de trouwdag van Viola en haar Andreas met rasse schreden. Op de vooravond van het huwelijk kwamen de vijf vriendinnen, zoals zo vaak, bij elkaar in de flat van Eva.

„Een traditionele vrijgezellenavond wilde je niet, maar dit is een leuk alternatief," zei Eva terwijl ze haar glas ophief naar de aanstaande bruid. „Het is lang geleden dat we een avondje met zijn vijven door hebben gebracht."

„Op jouw verjaardag," herinnerde Janet zich. „Daarna raakte je volkomen verloren voor de mensheid, dankzij Rutger."

„Dat zal wel meevallen," lachte Eva. Als overtuigd feministe maakte Janet vaker dit soort opmerkingen, maar Eva liet zich er niet door van haar stuk brengen. „Zo vaak zien Rutger en ik elkaar niet, wat dat betreft kan niemand me verwijten dat ik mijn eigen leven opzijzet voor een man."

„Hm, ik heb zo het idee dat dit meer aan hem ligt dan aan jou," merkte Carola bedachtzaam op. „Als hij meer tijd voor jou zou hebben, denk ik dat je andere zaken opzij had geschoven om bij hem te zijn. Zeg eens eerlijk."

„Misschien wel," antwoordde Eva na enig nadenken. „Hoewel ik nu ook mijn repetities of optredens niet afzeg voor hem. Maar als je echt verliefd bent, is het logisch dat je zoveel mogelijk tijd samen door wil brengen. Rutger is nu op zoek naar ander werk, omdat hij 's avonds vaker vrij wil hebben."

„O help, dat klinkt als echte liefde," zei Janet. Ze rolde theatraal met haar ogen. „Geef me alsjeblieft nog een glas wijn, want hier kan ik heel slecht tegen."

„Wacht maar tot jij nog eens een leuke man tegen het lijf loopt," zei Mieke.

„Nee, dank je," weerde Janet af. „Ik heb genoeg voorbeelden in mijn omgeving gezien om te weten dat een relatie het laatste is wat ik zou willen."

„Doe niet zo cynisch. Ik ben heel erg gelukkig met Andreas. Er bestaan ook goede relaties," wees Viola haar terecht.

Janet trok een zuinig mondje. „Vast wel. Als je als vrouw bereid bent jezelf op te offeren voor het gezin en genoegen neemt met een ondergeschikte rol, maar als dat niet het geval is neemt een man al snel de benen. Je moet eens kijken naar het percentage mannen dat vreemdgaat. De hoofdreden daarvoor is dat ze klagen dat hun vrouw geen tijd en aandacht voor ze heeft."

„Als een man vreemdgaat, verzint hij daar altijd wel een smoes voor," meende Mieke. „Vroeger, toen het nog niet aanvaard was dat getrouwde vrouwen een baan buitenshuis hadden, bestonden er ook genoeg buitenechtelijke relaties. Nu wordt het erop gegooid dat vrouwen geen tijd meer hebben voor hun echtgenoten, maar toen waren er weer andere excuses. Zo zal het ook altijd blijven. Als een man een verhouding wil beginnen, vrouwen overigens ook, is daar altijd wel een aanleiding voor te vinden."

„Daarom wil ik me ook niet vastleggen in een relatie. Ik vind het onnatuurlijk om je hele leven trouw te blijven aan één persoon. Als iedereen elkaar daarin vrij zou laten, zou er veel minder ellende zijn op dat gebied. Nu beloven twee mensen elkaar absolute trouw, maar als ze erachter komen dat dat in de praktijk niet haalbaar is, moet alles in het geniep omdat die belofte nu eenmaal bestaat. Vervolgens komt het bedrog uit en ligt er weer een huwelijk in stukken omdat de bedrogen partner zo gekwetst is en haar man niet meer durft te vertrouwen. Mensen moeten eens wat realistischer worden."

„Nee, mensen moeten beter nadenken voor ze die belofte afleggen," verbeterde Viola haar. „Er wordt tegenwoordig constant geroepen dat echtparen te snel scheiden, maar volgens mij is het andersom. Ze trouwen te snel."

„Zei de aanstaande bruid," gooide Carola daartussendoor.

„Andreas en ik kennen elkaar lang en goed genoeg om die stap bewust te nemen. Wij zullen niet snel meer voor verrassingen komen te staan."

„Hoop je," zei Janet cynisch.

„Zeg, hou eens op," verzocht Mieke. „Is het je bedoeling om Viola op het laatste moment nog even aan het twijfelen te brengen of zo? We kennen jouw ideeën zo langzamerhand wel, maar we hebben er niet altijd behoefte aan om ze te horen. Zeker niet op de avond voor de bruiloft van één van ons."

„Ik verander echt niet van gedachten, hoor," zei Viola kalm. Haar ogen glansden en ze straalde zoveel geluk en vertrouwen in de toekomst uit dat Eva haar gefascineerd aanstaarde. Viola was écht gelukkig, dat kon een kind zien. Voor het eerst begreep Eva dat geluk. Zij wilde zelf niets liever dan haar leven delen met Rutger, al het andere wat haar leven invulling gaf, was daarbij vergeleken onbelangrijk.

„Op jou en Andreas dan maar," zei Carola met opnieuw haar glas omhoog. „Jongens, dit wordt echt mijn laatste wijntje voor vanavond, anders zit ik morgen met een kater in het stadhuis."

„Ik ga toch zo naar huis," nam Viola zich voor. „Sinds ik zwanger ben heb ik van die katers geen last meer, maar ik wil er morgen wel stralend uitzien, zonder wallen onder mijn ogen van slaapgebrek. Die buik valt al genoeg op." Met een trots gezicht wreef ze over haar iets uitstekende buik onder haar wijde blouse.

„Dat is nog niets, wacht maar tot je een paar maanden verder bent," grijnsde Mieke. Zij was de enige van de vijf vriendinnen die tante was van een paar neefjes en nichtjes en ook de enige die van dichtbij een zwangerschap had meegemaakt. „Mijn schoonzus werd niet zo heel dik, maar mijn zus zag er op het laatst uit alsof ze een skippybal had ingeslikt. Echt, ze durfde niet eens meer voorover te buigen omdat ze bang was om haar evenwicht te verliezen. Ze was gewoon topzwaar."

„Een tuimelaartje," lachte Carola.

„Precies, zo zag ze er echt uit. Er staat jou nog heel wat te wachten, Viool."

„Gelukkig is het maar tijdelijk." Met overdreven gezucht en gesteun stond Viola op van de lage bank. „Meiden, ik zie jullie morgen allemaal op het stadhuis. Eva, jij bent om elf uur bij me, hè?"

„Ja, ik zorg ervoor dat je ruim op tijd gekleed en opgemaakt bent," beloofde Eva. „Rutger gaat rechtstreeks naar het stadhuis toe, ik zie hem daar."

„O, dus hij komt ook?" zei Mieke. „Hij wordt dus meteen voor de leeuwen geworpen, die arme man. Je had hem beter eerst één voor één aan ons voor kunnen stellen, dan was hij voorbereid geweest."

„Hij kan wel tegen een stootje. Bovendien komt zijn vriend Albert mee, dus hij staat er niet helemaal alleen voor," zei Eva onbekommerd.

„Ah, hoor je dat, Janet? Die Albert komt natuurlijk speciaal voor jou, anders ben je zo alleen," plaagde Carola.

„Alsof jij hordes mannen achter je aan hebt," schamperde Janet.

Viola zwaaide in het rond. „Ik ga nu echt. Geen ruzie maken, dames. En denk erom, niet dronken worden vanavond."

„Nee, daar wachten we mee tot morgen," beloofde Janet. „Als jij maar zorgt dat er voldoende drank aanwezig is."

„Liters vruchtensap in ieder geval. Ja, wat dacht je dan? Ik geen alcohol, dan jullie ook niet." Lachend vertrok Viola dan toch echt, uitgezwaaid door alle vier haar vriendinnen.

„Daar gaat de bruid," zong Mieke, de tekst iets verbasterend. „Nou jongens, zullen we er dan nog maar eentje nemen?"

De volgende dag begon met een stralende zon aan een strak-blauwe hemel.

„Een gunstig voorteken," zei Eva terwijl ze Viola voorzichtig in haar trouwjurk hielp. De kanten, ivoorkleurige japon viel soepel om Viola's lichaam heen en verhulde haar beginnende buik. „Je ziet er schitterend uit. Nu al, zonder make-up en met je haar los. Kun je nagaan hoe mooi je straks bent. Andreas zal zijn ogen uitkijken," voorspelde Eva. Zorgvuldig drapeerde ze een grote handdoek om Viola's schouders voor ze met het aanbrengen van de make-up begon.

„Andreas vindt me ook mooi in een oud joggingpak," merkte Viola nuchter op.

„Zo hoort het ook," prees Eva. Ze legde haar kwasten en andere make-upspullen klaar en monsterde haar vriendin, die een serene rust uitstraalde. „Ben je niet zenuwachtig?"

„Waarom in vredesnaam?" vroeg Viola oprecht verbaasd.

„Omdat ik vandaag ga trouwen? Als ik daar nerveus voor moest zijn zou er iets niet kloppen. Ik ben alleen maar heel erg blij en gelukkig. Ik weet wel dat het boterbriefje voor de meeste mensen niet zoveel meer voorstelt tegenwoordig, maar ik vind het wel belangrijk. Ons kind moet opgroeien in een echt gezin."

„Zo heb je er niet altijd over gedacht."

„Nee, vroeger vond ik het huwelijk een achterhaald begrip," herinnerde Viola zich met een glimlach. „En als je het nuchter bekijkt is dat natuurlijk ook zo, maar alles verandert als je echt van iemand houdt. Voor mij tenminste wel. Andreas en ik willen er samen echt voor gaan, niet half. Het gezin als bolwerk tegen de buitenwereld. Het klinkt theatraal, ik weet het."

„Ik begrijp het wel," knikte Eva. „Ook al is het leven een stuk harder geworden, er bestaat nog steeds behoefte aan romantiek. Wees maar blij dat je daarin durft te geloven en er ook voor uitkomt. Er raken steeds meer mensen verbitterd en afgestompt. Liefde lijkt af en toe wel een vies woord te zijn."

„Voor mij in ieder geval niet. Ik had nooit verwacht dat ik

nog eens zoveel van een man zou houden als ik van Andreas doe."

„Datzelfde gevoel heb ik bij Rutger. Jaren geleden dacht ik dat ik van Mark hield, nu begrijp ik dat die gevoelens niets voorstelden."

„Het ziet ernaar uit dat we allebei onze bestemming gevonden hebben," knikte Viola. „Typisch toch, dat wij altijd zo'n beetje tegelijk oplopen in het leven."

„Wat kinderen krijgen betreft heb je anders een behoorlijke voorsprong," zei Eva met een blik op Viola's buik. „Dat haal ik nooit meer in."

„Als je snel opschiet kunnen ze nog mooi samen opgroeien." Viola grinnikte, maar ze hield daar abrupt mee op bij het zien van Eva's bezeerde blik. „Wat is er? Heb ik iets verkeerds gezegd?"

Eva schudde haar hoofd. De abortus die ze ooit had laten uitvoeren stond haar ineens weer levendig voor ogen. Het was bijna of ze de lucht van ontsmettingsmiddelen die in de kliniek hing weer rook. Viola wist daar echter niets van af en dit was niet het moment om het alsnog op te biechten. Eva betwijfelde trouwens of ze dat ooit zou kunnen. Ze had het al zolang geheimgehouden dat het verzwijgen ervan een tweede natuur was geworden. Behalve Rutger wisten alleen haar ouders ervan en die hadden haar laten vallen zodra ze het verteld had. Wie weet hoe Viola zou reageren als ze na twaalf jaar met dit verhaal naar buiten kwam. Nee, sommige zaken konden beter onbesproken blijven.

„Zo, je bent klaar," zei ze luchtig zonder op Viola's vraag in te gaan. „Alleen de kapster nog, dan kun je jezelf aan het volk vertonen."

Alsof dat het wachtwoord was, klonk precies op dat moment de bel door het huis. Gered door de bel, dacht Eva bij zichzelf. Ze kende Viola goed genoeg om te weten dat ze anders beslist op het onderwerp kinderen door was gegaan en ze wist niet of ze haar mond dan nog wel kon houden. Tot nu toe was dat geen probleem geweest omdat kinderen nog geen rol in hun levens speelden en dus ook niet vaak ter sprake kwamen. Met Viola's zwangerschap was dat veranderd. Bovendien bracht de hernieuwde relatie met Rutger weer veel herinneringen boven. Details waarvan Eva dacht dat ze ze vergeten was, kwamen plotseling weer boven water. Haarscherp, als professionele foto-opnames. Het gezicht van de arts die de ingreep uitvoerde, het tafeltje met de steriele instrumenten, de schilderijen aan de muur in de wachtkamer. Eva kon ze zo uittekenen als het moest.

Met moeite schudde ze die gedachten van zich af, om zich weer te concentreren op de bruid, die er werkelijk uitzag als een plaatje. Nog voor Andreas zijn aanstaande vrouw kwam halen, vertrok Eva naar het stadhuis, waar ze met zijn allen het bruidspaar op zouden wachten. Rutger en Albert waren er al, zag ze. Ze stonden te praten met Brian Hoekstra, de voorzitter van hun tennisclub.

„Hé Eva," zei hij toen hij haar aan zag komen lopen. „We hebben er twee nieuwe leden bij, begrijp ik. Goed gedaan van je, we kwamen wat mensen tekort."

„Ach ja, ik doe alles om nieuwe leden te werven, zelfs een relatie beginnen," lachte Eva. Ze gaf Rutger snel een zoen. „Hebben jullie alles al doorgenomen?"

Rutger knikte. „We hebben meteen van de gelegenheid gebruikgemaakt, we stonden hier toch te wachten. Zaterdag komen Albert en ik voor het eerst meedoen."

„Zaterdag ben ik er niet, wat jammer."

„Waarom niet?" vroeg Rutger meteen teleurgesteld. „Je hebt dit weekend toch geen optredens?"

„Zaterdag zijn de opnames voor dat praatprogramma op tv, over inentingen," hielp Eva hem herinneren. „In mijn hoedanigheid als consultatiebureauarts ben ik uitgenodigd om daarover mee te praten."

„Zo?" Albert floot langgerekt. „Ik wist niet dat jij bevriend was met een tv-persoonlijkheid, Rutger. Ik vond je al de moeite waard, Eva, maar nu stijg je helemaal in mijn achting."

„Stel je niet zo aan," zei ze kortaf. „Het stelt niets voor. Omdat ik die column schrijf voor het blad van Viola, word ik wel vaker uitgenodigd voor dit soort dingen. Zo werkt dat nu eenmaal, het ene sleept het andere met zich mee. Het is niets bijzonders, hoor." Ze wist nog steeds niet goed wat ze aan Albert had en had daardoor moeite om normaal te reageren op zijn meestal vleiende opmerkingen. Hij flirtte soms openlijk met haar, maar omdat hij dat altijd deed waar Rutger bij was zocht ze daar verder niets achter. Wel maakte het haar onzeker.

„Ik vind het wel bijzonder," hield Albert vol. „Wanneer wordt het uitgezonden? Ik wil het absoluut zien."

„Over een paar weken pas. O kijk, daar komt het bruidspaar," ontdekte Eva opgelucht.

Het was ineens een drukte van belang voor de ingang van het kleine stadhuis. De bruid werd aan alle kanten bewonderd en geprezen.

„Ze ziet er mooi uit, maar niet half zo prachtig als jij," fluisterde Rutger in Eva's oor. Ze bloosde van plezier.

„Dat zeg je nu, in je eerste roes van verliefdheid. Over een jaar piep je wel anders," giechelde ze.

„Nooit," verzekerde hij haar echter. Hij keek haar intens aan. „Jij zult altijd de mooiste zijn in mijn ogen. Kom liefste, we gaan naar binnen. Eens kijken naar ons voorland."

Haar maag maakte een buiteling bij die woorden. Bedoelde Rutger daar echt mee wat ze hoopte dat hij bedoelde? In een roes volgde ze hem de trouwzaal in.

Het werd een mooie dag. Viola en Andreas hadden niets gevoeld voor een uitbundig feest, maar wel voor een gezellig samenzijn, zodat ze na de officiële receptie hadden gekozen voor een uitgebreid diner waarbij tussen de gangen door gelegenheid was om te dansen. Het was voor het eerst dat Eva en Rutger zich samen op de dansvloer begaven.

„Dit hebben we nog nooit eerder gedaan," zei Eva dan ook terwijl haar lichaam zich soepel aanpaste bij zijn passen.

„Jawel, in de disco," herinnerde Rutger zich. „Maar dat was wel even iets anders dan dit. Je danst goed."

„Dat komt door jouw manier van leiden," complimenteerde Eva hem. „Tijdens dansles, met partners die het zelf ook nog moesten leren, bakte ik er niet zoveel van."

„Niets van te merken." Hij omvatte haar nog iets steviger en maakte een sierlijke draai. „Eva, ik…"

„Ja, zo is het genoeg, nu is het mijn beurt," onderbrak de vrolijke stem van Albert hem. Hij gaf Rutger een vriendschappelijke por en pakte Eva vast. „Jij hebt niet het alleenrecht op deze mooie dame, ik wil ook wel eens met haar dansen."

„Alleen als ze dat zelf wil," zei Rutger stug.

„Welja, waarom niet," zei Eva vlak. Eigenlijk voelde ze er helemaal niets voor, maar ze wilde geen scène uitlokken door botweg te weigeren. Albert was de beste vriend van Rutger en tevens zijn zakenpartner, ze zou toch met hem om moeten gaan in de toekomst. Ze vond de manier waarop hij haar tegen zijn lijf aandrukte echter niet prettig.

„Ik heb liever dat je me iets losser vasthoudt," zei ze dan ook. Hij keek haar van dichtbij diep in de ogen. „Die indruk had ik daarnet niet, Rutgers greep was ook niet bepaald losjes."

„Dat was Rutger, jij bent Albert."

„Aha, zit dat zo. Maak ik dan echt geen enkele kans bij je?" vroeg hij luchtig. „Rutger en ik zijn vrienden, we delen alles."

Eva bleef abrupt midden op de dansvloer staan. „Zo is het wel genoeg," beet ze hem toe. „Ik ben niet gediend van dergelijke opmerkingen."

„Rustig aan, het was maar een grapje. Sorry." Deemoedig keek hij haar aan. Zijn greep was nu een stuk losser en zwijgend liet Eva zich weer meevoeren op de maat van de muziek, hoewel ze het liefst was gaan zitten. „Het spijt me echt," verzekerde Albert haar nog eens. „Het is alleen… Nou ja, ik vind je ook leuk. Ik hoopte een kansje te maken bij je, maar het is me inmiddels wel duidelijk dat jij alleen maar Rutger ziet."

„Ik hou van hem," gaf ze simpel ten antwoord.

„Hij mag zijn handen dichtknijpen van geluk daarvoor," zei Albert. Er verscheen even een bitter glimlachje om zijn mond. „In tegenstelling tot mijzelf dus. Enfin, daar zal ik me bij neer moeten leggen. Ik hoop dat jullie heel gelukkig worden samen." De muziek stopte en Albert drukte snel een kus op Eva's hand voor hij haar losliet.

„Wat moest hij van je?" vroeg Rutger nors zodra ze weer naast hem aan tafel zat. Stuurs keek hij in de richting van zijn vriend, die nu Mieke meevoerde de dansvloer op.

„Niets. Hij zei dat hij hoopt dat wij gelukkig worden samen," zei Eva, expres de helft verzwijgend. Albert had tenslotte zijn excuus aangeboden, ze voelde er niets voor om tussen de twee vrienden te gaan zitten stoken.

Rutgers gezicht klaarde onmiddellijk op. „Dat ben ik al, samen met jou. Maar als ik naar Viola en Andreas kijk, weet ik dat het alleen nog maar beter kan worden. Wanneer gaan wij trouwen, Eva?"

„Wat?" Ze keek hem ademloos aan.

„Zodra ik ander werk heb gevonden en vaker vrij ben," gaf hij zelf het antwoord al. „Ik zal dan waarschijnlijk een stuk minder verdienen dan nu, maar dat is niet het belangrijkste. Als we maar samen zijn."

„Zou je niet eerst even afwachten of ik wel 'ja' zal zeggen?" Lachend en gelukkig keken ze elkaar aan te midden van de andere gasten. Voor hun gevoel zaten ze echter op een onbewoond eiland, met niemand om hen heen.

„Oké, ik zal mijn vraag anders formuleren," zei Rutger. Hij pakte allebei haar handen vast en keek haar intens aan. „Lieve Eva, wil je met me trouwen?"

„Ja!" Ze aarzelde geen seconde over haar antwoord, het kwam er juichend uit. Ten overstaan van iedereen die in het zaaltje aanwezig was, kuste Rutger haar lang en teder.

HOOFDSTUK 7

„Goedemorgen, kom binnen." Hartelijk schudde Eva de handen van Hennie en Martijn van Dijk, de ouders van peuter Jeroen, die vandaag het consultatiebureau bezochten.

„Zo dokter, u bent in een goed humeur vandaag," zei Martijn.

Eva lachte maar wat. Ze was tegenwoordig voortdurend in een goed humeur. Nu haar vrije singleleven voorbij was, waar iedereen tegenwoordig zijn mond vol van had, maar wat volgens haar niemand ambieerde, kon ze de hele wereld aan. Rutger had haar leven compleet gemaakt.

„Hoe gaat het met Jeroen?" informeerde ze.

„Goed, behalve dan dat hij in de peuterpubertijd zit," gaf Hennie droog ten antwoord. „We hebben de perfecte naam voor hem uitgekozen." Ze begon te lachen bij het zien van Eva's vragende gezicht. „Jeroen, niet doen. Dat roepen we echt de hele dag door. Tot groot vermaak van hem, overigens. Ik denk dat hij het zo grappig vindt klinken dat hij expres van alles uithaalt wat niet mag."

„Zo te zien lijden jullie er niet onder," zei Eva goedkeurend. Deze mensen kwamen op haar over als een leuk, hecht en warm gezin. Het gezin dat ze zelf ook voor ogen had en dat misschien wel binnen niet al te lange tijd realiteit zou worden. Ze was dertig, haar biologische klok tikte door. Ze wilde echt niet te lang meer wachten met het realiseren van haar kinderwens. Ze betrapte zichzelf erop dat ze de gezinnen die op haar spreekuur kwamen tegenwoordig uit een ander, persoonlijk, oogpunt bekeek. Vooral als de ouders problemen hadden met het gedrag van hun kind vroeg ze zich af wat zij zelf zou doen in zo'n situatie. Op het professionele vlak had ze haar antwoord altijd wel klaar, maar het lag natuurlijk anders als het je eigen kind betrof waar je vierentwintig uur, zeven dagen per week, verantwoordelijk voor was. Het opvoeden van kinderen was beslist geen sinecure, dat wist ze dankzij haar werk maar al te goed, toch verlangde ze ernaar. Ze wilde een warm thuis scheppen voor haar eigen kinderen en ze een jeugd geven waar ze later met een goed gevoel op terug konden kijken. Ze zou een moeder worden met begrip voor de kleine en grote problemen van haar kinderen, nam Eva zich voor. Een moeder die haar kinderen steunde, ongeacht hun beslissingen en de gevolgen daarvan. Een moeder waar ze van op aan konden en bij wie ze altijd terecht konden voor hulp, troost en advies. Anders dan haar eigen ouders hadden gedaan in ieder geval. Sinds de abortus en hun kille reactie daarop voelde Eva zich behoorlijk in de steek gelaten door haar ouders. Nog steeds, na al die jaren. De band was nooit meer volledig hersteld en dat voelde als een gemis, al deed ze er altijd heel luchtig over.

Nadat ze Jeroen en zijn ouders uitgeleide had gedaan, was het tijd voor de koffiepauze. Om haar voorgenomen huwelijk te vieren had Eva een grote doos gebak meegenomen voor alle medewerkers van het consultatiebureau en het medisch centrum dat in hetzelfde gebouw gevestigd was.

„Wat een verwennerij," zei Sabrina terwijl ze een moorkop op haar schoteltje legde. „Waar hebben we dat aan te danken?"

„Rutger heeft me ten huwelijk gevraagd," vertelde Eva stralend. Gelukkig nam ze de vele felicitaties in ontvangst. „Er is nog meer goed nieuws," vervolgde ze toen. „Ik heb bericht gekregen dat de aanklacht van Michelle Huizinga ongegrond is verklaard. Onderzoek heeft uitgewezen dat er geen enkele aanleiding is om mij nalatigheid te verwijten."

„Gelukkig," zuchtte Sabrina. „Ik heb er geen moment aan getwijfeld dat jou geen enkele blaam treft, maar je weet het maar nooit met die aanklachten. Als ze echt een zondebok willen hebben, vinden ze hem toch wel. Heb je overigens ooit nog iets van Michelle gehoord?"

Eva schudde haar hoofd. „Ik heb wel een paar keer telefonisch contact gehad met haar moeder en het gaat niet zo goed met haar. Ze kan het verlies van Leonie niet verwerken."

„Dat is natuurlijk niet vreemd. Je eigen kind verliezen is het ergste wat iemand kan overkomen." Sabrina huiverde. „Hè bah, wat een rottig onderwerp van gesprek ineens. En dat terwijl je zulke goede berichten hebt. Vertel eens wat over Rutger. Hoe oud is hij? Heb je een foto van hem? Wat voor werk doet hij?"

„Ho, ho," lachte Eva. „Wat is dit, een kruisverhoor?" Desondanks vulde ze de rest van hun koffiepauze met het ophemelen van haar kersverse verloofde.

„Ik hoor het al," grinnikte Sabrina toen ze opstond om haar werk aan de balie te hervatten. „Je kunt geen superlatieven genoeg vinden om hem te beschrijven."

Is dat zo, vroeg Eva zich af. Overdrijf ik? Stel ik me aan als een verliefde bakvis? Maar nee, wist ze. Zoals ze het aan Sabrina vertelde, zo voelde ze het ook werkelijk. Rutger was gewoon fantastisch en geweldig lief voor haar. De Ideale Man, met hoofdletters. Ze was niet zo naïef om te veronderstellen dat ze nooit ruzie zouden krijgen of dat er nooit een donkere wolk aan haar stralende hemel zou verschijnen, maar op dit moment was alles in ieder geval perfect en daar mocht ze best voor uitkomen. Ze zag er het nut niet van in om hun relatie in woorden af te zwakken terwijl het volkomen volmaakt aanvoelde. Iedereen mocht weten hoe gelukkig ze was en hoe goed zij en Rutger het samen hadden.

Alles leek haar ineens mee te zitten sinds hij weer in haar leven verschenen was. Eva zweefde door de dagen heen en niets kon haar goede stemming verpesten. De tv-opname voor het praatprogramma over het wel of niet inenten van jonge kinderen, liep ook op rolletjes. Er kwam zelfs een vrouw uit het publiek naar haar toe om haar te vertellen dat ze tot aan dat moment had getwijfeld of ze haar baby moest laten vaccineren, maar dat Eva's argumenten haar over de streep hadden getrokken om het wel te laten doen. Blij gestemd verliet ze de studio. Het was prettig om te weten dat dit optreden niet alleen diende als vermaak voor de kijkers, maar dat het daadwerkelijk nut had gehad voor in ieder geval één persoon. Alleen als iedereen zijn kinderen in liet enten, zouden bepaalde ziektes uitgeroeid kunnen worden, was Eva's mening. Ze had respect voor mensen die zich kritisch lieten informeren voor ze een besluit namen en voor andere geloofsovertuigingen, maar ze vond het onaanvaardbaar dat kleine kinderen ziek werden, verlamd raakten of zelfs overleden terwijl een simpele vaccinatie dat kon voorkomen.

Buiten wachtte haar een nieuwe verrassing in de vorm van Rutger, die haar bij haar auto opwachtte.

„Rutger!" Blij vloog ze in zijn armen. „Wat een heerlijke verrassing. Ik had jou helemaal niet verwacht hier, ik dacht dat je nog wel op de tennisbaan zou zijn."

„Daar zijn we ook geweest, maar die paar uur die wij met elkaar door kunnen brengen als we geen andere verplichtingen aan ons hoofd hebben, vind ik te kostbaar om verloren te laten gaan. Tennissen kan ik mijn hele leven nog doen."

„Mij zien ook, maar ik ben toch blij dat je daar de voorkeur aan geeft," lachte Eva.

„Zullen we uit eten gaan?" stelde Rutger voor. „Ik weet een leuk, nieuw restaurantje."

„Hm, ik heb een beter idee. Waarom gaan we niet gewoon naar mijn huis voor een romantisch avondje met zijn tweeën? Ik heb al eten gemaakt, dat hoeft alleen maar even de magnetron in. Ik heb eigenlijk helemaal geen behoefte aan andere mensen om ons heen."

„Dat klinkt als een perfect plan. Ik rij achter je aan."

Rutger hielp haar in haar auto en stapte daarna in zijn eigen wagen. Zo reden ze achter elkaar de stad door. Eva moest moeite doen om haar aandacht bij het verkeer te houden, want steeds als ze in haar spiegeltje keek zag ze het vertrouwde en geliefde gezicht van Rutger opdoemen. Ze had nog nooit zo vaak in haar achteruitkijkspiegel gekeken als nu, betrapte ze zichzelf grinnikend. Gelukkig arriveerden ze even later wel zonder brokken bij haar huis. Omdat het warm weer was zette ze de ramen van haar flat wijd open en sleepte ze twee stoelen op haar piepkleine balkonnetje. Het paste precies. Rutger schonk iets te drinken voor hen in en zo zaten ze even later gezellig en knus buiten.

„Wat een zaligheid," verzuchtte Eva. „Ik mag zeker niet klagen met alles wat ik doe en ik ben blij dat ik een gevuld leven leid zonder verveling, maar het is toch ook wel heerlijk om een avond helemaal niets te hoeven en lekker lui te kunnen zijn."

„Als je het juiste gezelschap maar hebt," zei Rutger, zichzelf verwaand op de borst kloppend.

„Dat is absoluut waar," ging Eva hier serieus op in. „Ik heb er nooit veel aan gevonden om in mijn eentje thuis te zijn, vandaar dat ik lid ben geworden van de band en van de tennisclub. Ik heb liever verplichtingen 's avonds, anders hang ik alleen maar op de bank met een zak chips of zo. Alleen zijn is iets waar ik slecht tegen kan. Als het gebeurt heb ik ook altijd de tv aanstaan, zodat het in ieder geval niet zo doodstil is."

„Werkelijk? Dat had ik niet achter jou gezocht. Ik heb het nooit een probleem gevonden om alleen te zijn, al schuw ik gezelschap niet."

„Als ons huwelijk je dan maar niet tegenvalt," zei Eva half lachend.

„Vast niet. Over ons huwelijk gesproken, wanneer trouwen we? Wat mij betreft zo snel mogelijk."

„Dat ligt eraan hoe snel we alle voorbereidingen kunnen doen. Viola is wel een paar maanden bezig geweest voor alles geregeld was," wist Eva.

„Zo'n uitgebreide dag hoeft voor mij niet. Ik weet niet hoe jij erover denkt, maar ik vind het genoeg om naar het stadhuis te gaan en onze handtekening te zetten. Een feestje 's avonds kan altijd geregeld worden, maar een officiële receptie met allemaal toeters en bellen zie ik niet zo zitten," bekende Rutger. „Als we het gezelschap klein houden is het bespreken van een restaurant voor een diner ook geen probleem, zeker niet als het op een dag door de week is."

Eva knikte peinzend. Een echte trouwdag met ceremoniemeester, fotograaf, een witte jurk, bloemen, een receptie en een uitgebreid feest had nooit zo hoog op haar prioriteitenlijstje gestaan, maar een beetje feestelijk wilde ze het toch wel hebben. In ieder geval wel met alle mensen erbij die haar dierbaar waren.

„Ik heb een redelijk lange gastenlijst," zei ze dan ook. „Uiteraard mijn ouders en mijn vriendinnen, maar ook collega's en mensen van de verenigingen waar ik op zit. Alles bij elkaar loopt dat aardig op, zeker als je het maal twee rekent."

„Dat is niet nodig, want mijn gastenlijst is bijzonder kort. Albert mag natuurlijk niet ontbreken, maar dan hebben we het wel gehad."

„Echt waar?" Eva keek hem met grote ogen aan. Dit was iets waar ze zich niets bij voor kon stellen. „En je familie dan? De mensen met wie je werkt? Je gaat me toch niet vertellen dat je zo'n eenzaam leven leidt."

„Mijn ouders leven niet meer en met mijn broers en zussen heb ik geen contact. Ongetwijfeld zal ik nog wel ergens wat ooms, tantes, neven en nichten rond hebben lopen, maar die ken ik niet. De mensen waar ik mee werk hebben niets met mijn privé-leven te maken, behalve Albert dan," antwoordde Rutger afwerend.

„Maar heb je dan helemaal geen vrienden of mensen waar je graag mee omgaat?" vroeg Eva zich af.

„Nee. Kennissen zat, dat wel, maar die hoef ik er op mijn trouwdag niet bij te hebben. Ik ben niet zo'n sociaal mens, vrees ik."

„Dan zullen we het er maar op houden dat uitersten elkaar aantrekken. Ik vind het erg vervelend voor jou om op onze trouwdag alleen mensen van mijn kant om ons heen te hebben. Misschien kunnen we het dan inderdaad maar beter klein houden," aarzelde Eva.

„Waarom houden we de huwelijkssluiting op zich en een etentje daarna niet alleen voor de mensen die je het meest aan het hart liggen en geven we die avond een daverend feest voor iedereen die je maar wilt?" stelde Rutger voor.

„Ik weet een goed partycentrum. Als we die nou bellen om te vragen wanneer de eerstvolgende avond is dat ze nog niets geboekt hebben, dan wordt dat onze trouwdag.

Voor een bandje zorgen zij ook als je dat wilt."

„Oké," stemde Eva in. Ze sprong op en liep naar binnen, om even later terug te keren met een schrijfblok en een pen. IJverig begon ze de namen te noteren van diegenen die uitgenodigd zouden worden voor de hele dag en de mensen voor het feest. Ook schreef ze de naam en het adres van het betreffende partycentrum op en beloofde ze die maandag erna meteen te bellen. „En nu maar hopen dat het geen acht maanden duurt voor ze een avond vrij hebben," grinnikte ze. „Dat zal wel meevallen. Ik schat dat we binnen twee maanden getrouwd zijn," zei Rutger.

„Wat ons op het volgende punt brengt, onze huisvesting. Gaan we in mijn flat wonen, in de jouwe of zoeken we iets samen?"

„We zoeken een ander huis," antwoordde Rutger meteen. „Allebei onze flats zijn te klein voor twee mensen. Ik wil minstens vier kamers, een zolder en een tuin."

„Je bent nogal wat van plan. Oké, een huis," schreef Eva. De adrenaline stroomde door haar lichaam bij deze simpele bezigheid. Ze had nooit geweten dat het zo leuk was om plannen voor de toekomst te maken. „In welke prijsklasse had je gedacht?" Ze keek hem vragend aan. „Dit is toch wel iets waar we haast mee moeten maken als we er na ons huwelijk meteen willen gaan wonen. Als we weten wat we willen en wat we kunnen betalen, kunnen we maandag meteen een makelaar inschakelen."

Rutger aarzelde even voor hij antwoord gaf. „Niet te duur," zei hij toen. „Gewoon, een eengezinswoning in een buitenwijk of zo. Iets wat ook van één salaris te betalen is, met het oog op de toekomst."

„Ik wil heel graag kinderen, maar ik denk niet dat ik dan helemaal stop met werken."

„Daar had ik nog niet aan gedacht. Je weet dat ik iets anders aan het zoeken ben, maar dat gaat niet meer zo makkelijk tegenwoordig. Als wij eenmaal getrouwd zijn wil ik niet iedere avond aan het werk zijn, maar als ik minder omzet draai gaat dat wel ten koste van mijn verdiensten."

„We zullen niet van de honger omkomen," vermoedde Eva terecht. „Tenslotte heb ik ook een goed salaris. Wat verdien jij nu precies en wat denk je erop toe te gaan leggen?"

„Dat weet ik niet. Mijn inkomsten wisselen nogal," ontweek Rutger een rechtstreeks antwoord. Hij trok het notitieblok uit haar handen en zoende haar. „Leg dat schrijfwerk nu eens neer, je bent net een secretaresse zo."

„Het is juist leuk om al die plannen te maken," protesteerde Eva.

„Wil je plannen? Ik zal je precies vertellen hoe het gaat worden." Rutger boog zich over haar heen en begon haar lichaam te strelen. „We trouwen zo snel mogelijk, krijgen drie kinderen die we Bastiaan, Pim en Chantal noemen en nemen een puppy van een onbestemd ras die de naam Loeki krijgt," zei hij zacht.

„Loeki is een leeuw."

„Ssst, niet praten jij, alleen maar luisteren. Al onze kinderen krijgen een eigen kamer. Bastiaan, als oudste, mag de zolder hebben als Chantal zich aankondigt. In de tuin leggen we een grasveldje aan waarop een glijbaan en een schommel komen. In de zomer zetten we een zwembadje neer en eten we iedere avond buiten op het terras. Ik heb dan een baan met normale werktijden, zodat we iedere avond samen onze kinderen in bad en in bed stoppen. Natuurlijk lees ik ze dan eerst voor. Jij werkt twee dagen per week, op die dagen gaan ze naar een crèche, waar ze het heel erg naar hun zin hebben. In de weekenden doen we alleen maar leuke dingen met zijn vijven."

„Vergeet Loeki niet," giechelde Eva. „Die moet wel mee, anders plast hij in huis."

„Loeki krijgt een hok in de tuin met zijn eigen hondentoilet," beloofde Rutger bij voorbaat. Terwijl hij sprak streelden zijn vingers haar dijbeen. „We blijven in dat huis wonen totdat onze kinderen uitvliegen, daarna betrekken we een luxe flat die weinig onderhoud nodig heeft en gaan we lange reizen maken. Maar het belangrijkste, het allerbelangrijkste, is dat we nog heel lang en heel erg gelukkig leven."

„Als slechts de helft van deze fantasie waarheid wordt, ben ik al dolgelukkig," mijmerde Eva.

„Maar het wordt waarheid," benadrukte Rutger. „Als je er maar genoeg in gelooft. We kunnen al onze dromen realiseren als we dat willen."

„O ja?" Plagend duwde Eva hem opzij en snel greep ze het notitieblok weer van de grond. „Dan zullen we ons toch eerst even met de praktische zaken bezig moeten houden, jongetje."

„Niets ervan." Voor de tweede maal zeilde het notitieblok door de lucht, gevolgd door de pen. „Wij moeten eerst stevig oefenen om Bastiaan, Pim en Chantal straks goed afgewerkt op de wereld te kunnen zetten," beweerde Rutger serieus. Zonder acht te slaan op haar protesten, die overigens niet al te overtuigend waren, tilde hij haar op van de stoel en droeg haar naar binnen.

Eva liet zich meevoeren op de golven van geluk die haar lichaam overstroomden. Wat Rutger had gezegd, klonk als de hemel op aarde voor haar. Hoewel ze erg veel plezier had in haar werk en de andere zaken die dat met zich meebracht, zoals haar maandelijkse column, had ze nooit echt een carrière geambieerd. Het simpele, gelukkige gezinsleven dat Rutger haar voorgespiegeld had, trok haar veel meer. Dat die dromen nu op het punt stonden om uit te komen, maakte haar de gelukkigste vrouw ter wereld.

Zo gelukkig, dat zelfs het feit dat Rutgers mobiele telefoon begon te rinkelen en hij na een kort gesprek aankondigde dat hij een uurtje weg moest om iets te regelen voor zijn werk, haar niet deerde.

„Dit is een van de laatste keren dat dit gebeurt," beloofde hij haar voor hij wegging. „Ik meen het, Eva. Dat werk begint me de keel uit te hangen. Ik ben echt hard op zoek naar iets anders, alleen vrees ik dat ik je niet veel luxe kan geven als ik ergens anders weer onderaan moet beginnen."

„Dat is wel het laatste waar ik me druk om maak," verzekerde Eva hem.

De zon was achter een paar donkere wolken verdwenen en

huiverend sloot Eva na zijn vertrek de ramen en de balkon-
deur. Het was ineens kil in huis. Ze zette de tv aan en nam
het notitieblok weer ter hand.

HOOFDSTUK 8

De volgende dag werden ze gewekt door een stralend zonnetje dat door een kier in de gordijnen scheen. Het was pas
half tien, constateerde Eva tevreden na een blik op de wekker. Er lag nog een hele, heerlijke vrije zondag voor hen.
„Vandaag gaan we samen op stap," zei Rutger beslist toen ze
aan het ontbijt zaten. „Van dit soort dagen moeten we pro-
fiteren. De hele week is altijd al gevuld met werken, in de
weekenden heb jij vaak optredens, dus nu we een hele dag
geen verplichtingen hebben gaan we dat uitbuiten. Waar wil
je heen?"
„Het maakt mij niet zoveel uit, ik vind alles leuk," beweerde
Eva. „Maar weet je zeker dat jij weg kunt? Je hebt tenslotte
nog geen andere baan, misschien moet je straks wel weer
hals over kop naar een klant toe."
Rutger leek even te aarzelen. „Ik zet mijn mobiel uit," zei hij
toen. „Laat ze maar eens voor niets bellen. Binnenkort stop
ik er toch mee, kunnen ze er vast aan wennen."
„Weet je dat heel zeker?"
„Natuurlijk." Met een nonchalant gebaar pakte Rutger zijn
mobiele telefoon uit zijn zak en drukte hem uit. Eva zag echter dat zijn vingers aarzelden voor hij de bewuste knop
indrukte. Ze vermoedde dat Rutgers werk toch belangrijker
voor hem was dan hij zelf toe wilde geven en kon alleen
maar hopen dat hij het straks niet te erg zou missen. Zelf
moest ze er niet aan denken om haar baan te verruilen voor
iets anders.
„Voor mij hoef je het niet te doen, hoor," zei ze lief terwijl ze
op zijn schoot ging zitten. „Dat werk heb je nu eenmaal en
ik hou van je met alles wat erbij komt kijken. Zelfs die ach-
terlijke werkuren."
Rutger begon te lachen. „Dat laatste had je er nou niet aan
toe moeten voegen, dan zou ik je misschien geloven. Maak
je er niet druk om, schat, dat doe ik ook niet. Vandaag blijft
die telefoon uit, jammer voor iedereen die het daar niet mee
eens is. Deze dag is voor ons samen."

„Oké, als je er maar geen problemen mee krijgt."

„Ik werk behoorlijk zelfstandig. Het kan me alleen wat inkomsten schelen als ik ontevreden klanten heb, meer niet."

„Kan Albert het niet een dagje overnemen?" bedacht Eva. „Jullie werken toch samen?"

„Lieverd, breek je hoofd nu maar niet over mijn zaken, dat komt heus wel goed. Nou, wat gaan we doen? Wil je een strandwandeling maken, naar een museum toe, een markt bezoeken? Zeg het maar."

„Het klinkt allemaal wel leuk, misschien is er iets te combineren," dacht ze, van het onderwerp werk afstappend. Ze kon zich er inderdaad beter niet mee bemoeien, het waren haar zaken niet. Rutger reageerde meestal nogal geïrriteerd als ze daarover door bleef vragen en ze wilde deze dag niet verpesten. Zo vaak gebeurde het niet dat ze uitgebreid de tijd voor elkaar hadden.

Op internet zocht Rutger of er in de buurt iets te doen was en ontdekte dat er een boeken- en antiekmarkt gehouden werd in een plaats dertig kilometer verder. In een aangrenzende stad was er een braderie, dus besloten ze naar allebei toe te gaan.

„Dan kunnen we daarna altijd nog een strandwandeling maken," zei Rutger. „En poffertjes eten. Ik weet daar een leuk paviljoen."

Eva, die zich net stond aan te kleden, kreunde. Bij het vooruitzicht van een groot bord poffertjes met veel suiker en gesmolten boter, liep het water al in haar mond, maar de tailleband van haar spijkerbroek protesteerde nu al hevig toen ze hem probeerde dicht te maken.

„Dit gaat helemaal niet goed," zei ze somber. „Kijk eens hoe strak mijn broek zit, ik krijg hem amper dicht. Sinds wij samen zijn, ben ik alweer aardig wat kilo's aangekomen. Ik sport minder en eet meer, een fatale combinatie. Al die lekkere hapjes als we 's avonds samen zijn en steeds dat uit eten gaan, hakt er wel in. Ik zal toch echt weer moeten gaan lijnen."

78

„Je bent gek." Rutgers ogen gleden langs haar lichaam. „Je ziet eruit zoals een vrouw eruit hoort te zien, met rondingen op de juiste plaatsen. Ik hou helemaal niet van die wandelende skeletten. Jij bent perfect."

„Dat lijkt nu zo omdat die broek zo strak om mijn benen en buik sluit, dat kleedt slank af."

„Trek hem dan maar uit, dan kan ik het beter bekijken."

Eva giechelde. „Ik vrees dat we dan nooit op die markt komen."

„Je wilde toch meer lichaamsbeweging? Ik weet de perfecte sport voor je." Terwijl hij sprak maakte hij de knoop en rits van haar broek los en langzaam stroopte hij het kledingstuk naar beneden. Even later stond Eva naakt voor hem, enigszins onzeker onder zijn blik. Natuurlijk had hij haar vaker naakt gezien, maar nu hij haar lijf zo uitgebreid bekeek voelde ze zich niet op haar gemak.

„Perfect, zoals ik al zei," complimenteerde hij haar echter.

„Dat zeg je nu, maar als ik weer zoveel aankom denk je er wel anders over."

„Nooit," verzekerde hij haar. „Lieve schat, het maakt me totaal niet uit of je zestig, tachtig of voor mijn part honderd kilo weegt. Ik hou van je zoals je bent."

„Dat vind ik moeilijk te geloven," zei Eva eerlijk. „Ik ben dan wel veel afgevallen en daardoor redelijk slank nu, maar mijn huid is slap en zit onder de striae. Mijn borsten zijn niet stevig en mijn billen hangen naar beneden."

„Ik heb o-benen, mijn haargrens begint al aardig te wijken en ik heb veel te veel borsthaar," somde Rutger op zijn beurt op. Ze keken elkaar aan en schoten toen tegelijkertijd in de lach.

„Onvoorstelbaar dat we toch een partner gevonden hebben," grinnikte Eva.

„Ach, op ieder potje past een dekseltje," lachte Rutger met haar mee. „Ho eens even, wat ben jij van plan te gaan doen?"

„Me weer aankleden," antwoordde Eva, haar shirt van de grond oprapend.

„Dat dacht ik niet." Zonder pardon trok hij het shirt uit haar handen, waarna het opnieuw op de grond belandde. „Ik wil dat lichaam van jou wel even aan een nader onderzoek onderwerpen. Door alleen te kijken kan ik geen zuiver oordeel geven, ik moet het ook voelen."

Hij begon haar te strelen en Eva liet zich dat met graagte welgevallen. Ze vond het niet eens erg dat het volop licht was en er geen dekbed in de buurt was waar ze zich onder kon verstoppen, iets wat ze meestal wel deed. Onder Rutgers leiding zou ze wel eens van haar minderwaardigheidscomplex af kunnen komen, dacht ze gelukzalig bij zichzelf.

Al met al was het niet zo vroeg meer voor ze bij de markt aankwamen, maar daar maakten ze beiden geen probleem van. Het werd een dag met een gouden randje. Ze plaagden elkaar, lachten veel, fantaseerden gezellig over hun toekomst en kochten op de antiekmarkt alvast wat kleine spulletjes voor hun toekomstige huis. Met de wind in de rug liepen ze later een eind over het strand, met de armen om elkaar heen geslagen en ten overvloede ook nog eens hand in hand. Zwijgend keken ze naar de zonsondergang, waarbij de lucht een mysterieuze, rode kleur kreeg. Rutger bleef die avond niet bij haar slapen omdat hij thuis nog wat administratie moest doen, maar dat deed aan Eva's geluksgevoel niets af. Dromerig zwaaide ze hem na tot hij om de hoek van de straat verdwenen was. Het geslenter langs de kraampjes en de daaropvolgende strandwandeling, hadden haar slaperig gemaakt, dus zodra Rutger uit het zicht verdwenen was, dook ze meteen haar bed in. Ze viel direct in slaap, dromend over een toekomst die net zo volmaakt zou zijn als deze dag was geweest.

De volgende avond had Eva een tennisafspraak met Viola. Hoewel ze niets afgesproken hadden, verwachtte ze half en half dat Rutger en Albert er ook zouden zijn. Dat was echter niet het geval, wel belde hij haar aan het begin van de avond.

„Geen tijd," wimpelde hij haar vraag of hij ook naar de tennisbaan kwam af.

„Jammer. Kan je echt niet?" hield Eva aan. „Je stopt toch binnenkort met dat werk."

„Praat niet over dingen waar je geen verstand van hebt en bemoei je niet met mijn zaken!" viel Rutger heftig uit.

„Zeg, kalmeer een beetje," reageerde Eva beledigd.

„Sorry, zo bedoelde ik het niet." Ze hoorde aan zijn stem dat hij moe en gespannen was, dus nam ze het hem verder niet kwalijk. Toch zat het haar niet lekker. Er wás iets met dat werk van Rutger, iets waar zij niets van af wist. Het was niet voor het eerst dat hij zo geïrriteerd reageerde als het zijn werk betrof. Ze wist overigens nog steeds niet precies waar zijn baan nou uit bestond. Het was in ieder geval te hopen dat hij snel iets anders vond, want een goede invloed op zijn humeur had zijn werk beslist niet.

„Problemen?" informeerde Viola met een zijdelingse blik naar haar vriendin.

„Welnee," antwoordde Eva luchtig. Ze stopte haar mobiel in haar tas en pakte haar racket. „Kom op, ik ben van plan om je alle hoeken van de baan te laten zien."

„Durf je wel? Ik ben een zielig, zwanger vrouwtje, was je dat vergeten?" lachte Viola.

Even vertrok Eva's mond in een bittere grijns. Hoe zou ze dat ooit kunnen vergeten? Viola's zwangerschap beheerste haar gedachten zoals ooit haar eigen zwangerschap had gedaan. Het aanstaande moederschap van haar beste vriendin had alle ver weggestopte herinneringen weer bovengehaald. Ze had al een paar keer op het punt gestaan om Viola alles te vertellen, maar steeds weer schrok ze daar voor terug. Het was een zo goed bewaard geheim dat het af en toe wel leek of het alleen in haar verbeelding had bestaan en het nooit werkelijk was gebeurd. Jammer genoeg wist ze zelf wel beter. Bovendien vreesde ze voor de reacties die haar verhaal teweeg zou brengen. Ze hoefde alleen maar aan haar eigen ouders te denken om te weten wat voor gevolgen zo'n zwaarwegende bekentenis kon hebben. De mogelijkheid om Viola's vriendschap te verliezen, deed haar iedere keer weer haar woorden inslikken, hoewel het steeds moeilijker werd om haar mond te houden nu het onderwerp baby's regelmatig tussen hen ter sprake kwam.

Eva hoopte dat ze het verleden voorgoed achter zich zou kunnen laten als ze nu opnieuw zwanger zou worden. Deze keer zou het heel anders zijn, wist ze. Nu zou ze zich samen met Rutger verheugen op de geboorte en de tijd daarna. Ze spraken samen vaak over kinderen en hadden al besloten om op hun trouwdag te stoppen met voorbehoedsmiddelen, zodat het in alle opzichten een dag zou worden die een nieuw begin inluidde. Wat dat betrof lonkte de toekomst hevig. Alles waar Eva al jaren van droomde stond nu op het punt van uitkomen. Dat het nota bene samen met Rutger was, haar vriend uit haar kinderjaren, gaf er een extra dimensie aan. Plotseling verlangde ze zo hevig naar hem dat ze zich verontschuldigde en naar de kleedkamer liep om hem op te bellen. Ze moest gewoonweg eventjes zijn stem horen. In de beslotenheid van de kleedkamer toetste ze zijn nummer in op haar mobiele telefoon, maar in plaats van zijn vertrouwde stem hoorde ze de metaalachtige klank van een vrouwenstem die haar meldde dat het nummer dat ze gedraaid had, niet bereikbaar was en dat ze een berichtje in kon spreken na de toon. Teleurgesteld verbrak Eva de verbinding. Verdorie, nooit had hij dat ding uitstaan, behalve nu zij eens belde! Waar was hij en wat was hij aan het doen dat hij niet op kon nemen? Behalve de simpele woorden 'geen tijd' had hij geen verklaring gegeven waarom hij die avond niet op de tennisclub zou komen. Maar dat hoefde hij ook niet, vermaande Eva zichzelf toen ze de onredelijkheid van haar gedachten inzag. Ze waren elkaars bezit niet en hij hoefde niet van iedere stap die hij deed verantwoording af te leggen, dat deed zij tenslotte ook niet. Het was alleen wel vreemd, aangezien die mobiele telefoon af en toe aan zijn oor vastgeplakt leek te zitten.

Het zat haar toch niet lekker en ze probeerde die avond nog een paar keer om Rutger te bellen, maar steeds met hetzelfde resultaat. Ook de volgende ochtend kreeg ze geen contact met hem en toen begon ze ongerust te worden. Als hij maar niet ziek was, vreesde ze. Zo ziek dat hij niet in staat was om zijn telefoon op te nemen. Gisteravond had hij erg gespannen geklonken, herinnerde ze zich. Nerveus en opgejaagd. Ze nam zich voor om na haar werk even bij hem langs te gaan, hoewel ze wist dat hij er een hekel aan had als ze onaangekondigd voor de deur stond. Enfin, daar kon ze in dit geval geen rekening mee houden. Tenslotte kreeg ze geen kans om haar bezoek te melden als hij niet opnam, redeneerde ze in gedachten.

Het kostte haar die dag moeite om haar aandacht bij haar werk te houden en zodra haar laatste patiëntje het consultatiebureau had verlaten, haastte ze zich naar buiten. In haar auto probeerde ze nogmaals te bellen, al wist ze dat dit eigenlijk geen nut had. Even later stond ze voor zijn voordeur, maar ook dit bezoekje bleek tevergeefs. Op haar bellen werd niet opengedaan en op haar geklop en geroep kwam geen enkele reactie. Waarschijnlijk stelde ze zich aan en zag ze spoken, probeerde ze zichzelf gerust te stellen. Misschien had hij die dag gewoon een paar belangrijke besprekingen waarbij hij zijn telefoon uit had gezet om niet gestoord te worden. Wellicht was dit gisteravond al het geval geweest en was hij daarna vergeten hem weer aan te zetten. Er was vast wel een logische verklaring voor. Zodra hij het ontdekte en haar ingesproken berichten hoorde, zou hij haar ongetwijfeld bellen.

Ondanks die geruststellende gedachten bleef Eva zich die avond rusteloos voelen. Honger had ze niet en het lukte haar niet om zich op de tv te concentreren. Constant gleden haar ogen in de richting van haar telefoon en ze sprong overeind toen hij daadwerkelijk begon te rinkelen.

Haar hart bonsde zo luid dat het waarschijnlijk aan de andere kant van de lijn te horen was. Het was echter niet Rutgers vertrouwde stemgeluid dat ze hoorde, maar dat van Albert.

„Is Rutger soms bij jou?" viel hij met de deur in huis.

„Nee, hoezo?" vroeg ze gealarmeerd. „Waarom denk je dat?"

„We hadden een afspraak vanavond, maar hij is niet op komen dagen. Ik heb zijn mobiel al gebeld, maar kreeg de voicemail," berichtte Albert. „Heb jij enig idee waar hij kan zijn?"

„Ik probeer hem al sinds gisteravond te bellen," zei Eva nu op haar beurt. Het klamme zweet brak haar uit, want ze begreep nu dat er inderdaad iets ernstigs aan de hand moest zijn, ondanks alle pogingen om zichzelf gerust te stellen. Het was niets voor Rutger om een afspraak te vergeten.

„Maar je hebt hem niet gesproken, begrijp ik?"

„Nee. Aan het begin van de avond voor het laatst. Hij belde mij op de tennisclub. Hij klonk wel vreemd, trouwens."

„Hoe bedoel je?" vroeg Albert gespannen.

„Gewoon, vreemd. Alsof hij vreselijk gejaagd en nerveus was. Hij had geen tijd om te komen, maar gaf daar geen reden voor. Ik nam aan dat hij moest werken. Heb jij hem gisteravond niet gezien dan? Jullie werken toch meestal samen?"

„Rutger had een bespreking ergens, daar deed hij nogal geheimzinnig over," vertelde Albert nu op zijn beurt. „Tegen mij wilde hij niet zeggen waar hij heen ging."

„Tegen mij dus ook niet. Er klopt duidelijk iets niet, Albert. Wat kunnen we doen?" Eva's stem klonk angstig.

„Ik ga naar zijn huis, kijken of er iets aan de hand is," zei Albert grimmig.

„Dat heeft geen nut. Ik ben daar al geweest, maar hij deed niet open."

„Ik heb een sleutel."

„In dat geval ga ik met je mee."

„Eva, doe dat maar niet," zei Albert na een korte stilte. „Laat me alleen gaan, ik bel je onmiddellijk zodra ik iets weet."

„Maar ik word gek van dat wachten!" viel ze uit. „Ik wil iets doen."

„Je kunt nu niets doen. Ik ga nu en bel je meteen. Goed of slecht nieuws," beloofde Albert.

Hij verbrak de verbinding en Eva liep rusteloos heen en weer door haar kamer. Wat was er in vredesnaam aan de hand? Waar was Rutger? Albert vertrouwde het ook niet, dat had ze duidelijk kunnen merken. Er moest iets gebeurd zijn. Het gespannen gevoel in haar lijf werd steeds erger, tot ze het gevoel kreeg dat ze ieder moment uit elkaar kon klappen. Ze wilde Viola bellen en haar deelgenoot maken van haar zorgen, maar durfde de telefoon niet bezet te houden, al wist ze met haar verstand dat het minstens een kwartier zou duren voor Albert bij Rutgers huis zou zijn en terug zou bellen.

Dat kwartier werd een fors halfuur. Net toen Eva bedacht dat ze het niet langer uithield en haar jas al pakte om eveneens naar Rutgers huis te gaan, begon het toestel opnieuw te rinkelen. Ze bleef als verlamd staan, plotseling te bang om op te nemen. Het gerinkel klonk zo dreigend, zo onheilspellend. Ze vermande zich en pakte toen met trillende hand de hoorn op.

„Eva, met mij." Alberts stem klonk dof en vermoeid.

„En? Is het…? Heb je…? Slecht nieuws?" fluisterde ze onbeholpen.

„Helaas wel. O Eva, ik wilde dat ik je dit kon besparen. Ik vond Rutger in bed."

„Is hij ziek?" vroeg ze tegen beter weten in. De stilte die er viel was veelzeggender dan woorden. Eva sloot haar ogen, de hele kamer leek om haar heen te draaien. „Ik kom naar je toe."

„Dat kun je beter niet doen."

„Ik wil hem zien!" Nu schreeuwde ze en Albert waagde het niet langer om tegen haar in te gaan.

„Ga niet rijden, bel een taxi," gebood hij haar. „Je bent nu niet in staat om je aandacht op het verkeer te richten en één onheilstijding op een avond is genoeg. Ik zou je zelf wel willen komen halen, maar ik zit op de dokter te wachten."

„De dokter…? Betekent dat…?" vroeg Eva tegen beter weten in.

„Nee, Eva, hij is niet meer te redden," antwoordde Albert gelaten. „Maar er moet toch een dokter bij komen. Tenminste, dat neem ik aan. Ik kan hem moeilijk zo laten liggen, dus ik heb het alarmnummer gebeld. Ze sturen een arts die officieel moet verklaren dat hij inderdaad overleden is."

Eva huiverde. Nu hij het zo zei was het ineens zo reëel, terwijl het tegelijkertijd zo onwerkelijk was. Ze hoopte dat ze droomde, dat dit slechts een enge nachtmerrie was, maar haar verstand vertelde haar anders. Dit was echt, hoe bizar ook.

„Ik kom eraan," zei ze.

„Bel die taxi," drong Albert aan. „Ik meen het, Eva. Ga jezelf geen ongelukken op de hals halen."

Automatisch toetste ze het nummer van de taxicentrale in en buiten wachtte ze tot de bewuste wagen arriveerde. De striemende regen voelde ze niet eens. Ze leek wel verdoofd, alsof zij het zelf niet was die dit meemaakte. De dokter was al aanwezig toen ze bij het huis van Rutger arriveerde. Hij kwam net de slaapkamer uit en knikte in de richting van Albert.

„Ik zal hem op laten halen," zei hij onbewogen. „U begrijpt dat er sectie verricht moet worden op het lichaam?"

„Waarom?" wilde Eva weten. „Is het…? Ik bedoel, was het geen natuurlijk dood?"

„Daar kan ik zo geen uitspraken over doen. Er zijn geen sporen van geweld zo te zien, maar het is aan de politie of dat uitgebreid onderzocht moet worden of niet. Ik kan op dit moment niet anders doen dan hem dood verklaren, de sectie moet uitwijzen hoe dat komt."

„Maar u bedoelt te zeggen dat het ook een onnatuurlijke dood kan zijn?" wilde Albert weten. Zijn stem trilde. Eva pakte zijn hand en kneep er bemoedigend in. Het moest voor Albert een vreselijke ervaring zijn geweest om zijn vriend zo te vinden, besefte ze.

„Nogmaals, daar kan ik op dit moment geen uitsluitsel over geven. Ik weet alleen dat deze meneer wel erg jong was om plotseling in zijn slaap te overlijden, hoewel niets uiteraard onmogelijk is. Heeft u de politie al gebeld?"

Op Alberts ontkennende antwoord pakte hij zijn mobiele telefoon en toetste zelf het nummer in. „Er komt zo iemand," zei hij toen.

„Mag ik hem zien?" vroeg Eva bedeesd. „Ik ben zijn verloofde."

Even leek de dokter te aarzelen, toen knikte hij. „Als u maar niets aanraakt," waarschuwde hij haar. „De politie zal foto's willen nemen voor het geval de autopsie uitwijst dat het om een misdrijf gaat."

Met medelijden in zijn blik keek hij haar na toen ze, met Alberts arm om haar schouder, de slaapkamer inging. Hij wist niet wat hij hiervan moest denken. Het slachtoffer lag er rustig bij en er waren geen sporen van geweld te zien, toch vertrouwde hij het niet. Zijn gevoel zei hem dat er iets niet klopte en hij was zeer benieuwd naar de uitslag van de autopsie.

Rutger lag er inderdaad vredig bij, alsof hij in een diepe slaap verzonken was. Eva begon bijna te lachen bij het idee dat de dokter het helemaal mis had gehad en Rutger straks gewoon zijn ogen open zou doen. Hij kon toch niet echt dood zijn? Dat leek absurd. Toen ze echter voorzichtig zijn hand aanraakte, voelde die ijskoud aan. Geschrokken trok ze haar hand terug.

„Het is echt waar," zei ze bibberend. „Hij is dood." Het leek wel of ze dat nu pas echt besefte. Als gebiologeerd staarde ze naar het stille lichaam op het bed. Hoe kon dit? Eergisteren waren ze zo stralend gelukkig geweest en nu... Haar onderlip begon te trillen en zonder het zelf te beseffen schudde ze voortdurend haar hoofd heen en weer.

„Kom mee," zei Albert. Met zachte drang leidde hij haar de slaapkamer uit. Willoos liet Eva zich sturen, te lamgeslagen om nog iets te zeggen of te doen. In één klap was haar hele wereld ingestort.

HOOFDSTUK 9

De rest van de avond ging als in een nachtmerrie voorbij. De politie arriveerde al vrij snel en Eva beantwoordde automatisch alle vragen die haar gesteld werden, zonder dat ze zich later kon herinneren wat er precies gezegd was. Terwijl een rechercheur met haar sprak, begonnen een aantal andere mensen aan een sporenonderzoek in de woning.

„Er zijn totaal geen tekenen van braak of geweld," meldde iemand even later.

Een golf van opluchting sloeg door Eva's lichaam heen. Dat betekende in ieder geval dat Rutger niet vermoord was door een of andere overvaller. Hij woonde tenslotte in een dure wijk, waar inbraken regelmatig voorkwamen. De wetenschap dat hij dood was, was al gruwelijk genoeg zonder te moeten verwerken dat iemand dat willens en wetens gedaan had en het niet was gebeurd als hij maar op een ander tijdstip thuisgekomen was.

„Vingerafdrukken?" informeerde de rechercheur, die zich voorgesteld had als Mees Vlaming, kort.

De man tegenover hem knikte bevestigend. „Zat. We moeten ze nog checken natuurlijk, maar het ziet er niet naar uit dat iemand bewust vingerafdrukken weggeveegd heeft. Wel vonden we in de badkamer deze." Hij hield een leeg doosje omhoog dat duidelijk afkomstig was van de apotheek. „Er liggen er nog meer, allemaal leeg."

Mees Vlaming knikte. „Dat duidt op zelfmoord."

„Nee!" Albert, die beschermend zijn arm om Eva heen had geslagen, deed een stap naar voren. De blik in zijn ogen was fel en zijn mond was een smalle streep in zijn bleke gezicht. „Uitgesloten. Rutger zou nooit zelfmoord plegen, daar was hij veel te gelukkig voor. Hij stond net op het punt om een nieuw leven te beginnen met zijn aanstaande vrouw. Ik ben zijn beste vriend, als iemand weet hoe goed hij zich de laatste tijd voelde, ben ik het wel."

„Hij had die medicijnen anders niet voor niets in huis," merkte de rechercheur terecht op. „Dit is spul dat een dokter niet zomaar voorschrijft. Weet u waarom hij deze pillen slikte?" wendde hij zich tot Eva.

„Voor zijn rugpijn, maar hij had ze al een tijdje niet meer nodig," antwoordde ze, denkend aan het gesprek dat ze daarover gevoerd hadden. Ze had nog aangeboden om de medicijnen voor hem naar de apotheek terug te brengen, herinnerde ze zich met een pijnlijke steek in haar hart. Op dat moment was daar niets van gekomen, later had ze er niet meer aan gedacht. Ze verweet zichzelf dat ze dat had laten versloffen. Ze was nota bene zelf arts, ze wist hoe gevaarlijk medicijnen konden zijn.

„En weet u ook hoeveel van deze pillen in de woning aanwezig waren?"

Ze dacht diep na, maar moest het antwoord schuldig blijven.

„Er stond een behoorlijke voorraad, maar hoeveel precies weet ik niet. Ik kan aan de buitenkant natuurlijk ook niet zien of de doosjes leeg of vol waren," zei ze langzaam. „Dat heb ik niet gecontroleerd. Ik heb Rutger gevraagd waarom hij zoveel van die pijnstillers in huis had, waarna hij antwoordde dat hij ze gekregen had voor zijn rug, maar dat hij ze inmiddels niet meer gebruikte, dat was alles. Hij zou ze terugbrengen naar de apotheek, zei hij."

„Maar dat heeft hij niet gedaan. Kunt u een reden bedenken waarom niet?" Mees Vlaming keek haar scherp aan.

„In ieder geval niet omdat hij van plan was zichzelf van het leven te beroven," antwoordde Albert in Eva's plaats. „Dat geloof ik absoluut niet. Er moet een andere oorzaak voor zijn dood zijn. Een hartstilstand of zo. Die dokter moet dat toch zo kunnen constateren?" Hij klonk behoorlijk wanhopig en Eva legde even kalmerend haar hand op zijn arm. Hij pakte hem gelijk stevig vast en kneep erin.

„De autopsie zal uitwijzen of u gelijk heeft," zei de rechercheur vlak. Hij streek even door zijn kleine, grijze baardje. Zijn ogen stonden nadenkend. „U bent in het bezit van een sleutel van deze woning, begrijp ik? Al lang?"

Albert knikte dof. „Al een paar jaar. Rutger en ik zijn al heel lang goed bevriend met elkaar. Juist omdat we allebei alleen wonen hebben we elkaar indertijd een sleutel van onze huizen gegeven, omdat je nooit weet wat er voor kan vallen. Ik had echter nooit gedacht dat ik hem hier voor nodig zou hebben," voegde hij er op bittere toon aan toe.

„En maakte u er vaak gebruik van?"

„Nee, zelden. Hij was echt bedoeld voor noodgevallen, niet om zomaar bij elkaar naar binnen te lopen."

„U had geen sleutel?" vroeg Mees nu aan Eva.

Ze schudde ontkennend haar hoofd, waarna hij een aantekening maakte in het boekje dat hij voor zich hield.

„Vreemd, voor een verloofde," zei hij achteloos.

„Ik was hier nooit zo vaak. Rutger kwam meestal naar mij toe of we gingen samen uit. We hebben allebei een baan en een druk leven, we liepen niet de deur bij elkaar plat."

„Over zijn werk wil ik het nog even hebben. Wat deed de heer Messing precies?"

„Iets in de elektronica," zei Eva vaag. Ze vond het vervelend om toe te moeten geven dat ze daar eigenlijk niets van af wist. Hij had al zo argwanend gekeken toen ze zei dat ze niet in het bezit was van een sleutel van Rutgers huis, het zou een vreemde indruk wekken als ze nu ook moest bekennen dat ze eigenlijk geen flauw benul had van Rutgers werkzaamheden.

„Daar kan ik u alles over vertellen," zei Albert haastig. „Maar niet nu. Moet Eva hier nog langer blijven? U ziet toch dat ze doodop is van alle emoties?"

„Nee, jullie kunnen wel gaan," zei Mees onverwachts vriendelijk. „Zolang we geen uitsluitsel hebben over de doodsoorzaak kunnen we toch weinig doen. Ik verwacht de uitslag binnen een paar dagen, houdt u zich in ieder geval beschikbaar. Sterkte." Hij knikte kort naar Eva en Albert.

Albert wilde haar meteen wegvoeren, maar Eva bleef staan. „Wat gebeurt er nu met hem?" vroeg ze hulpeloos. „We moeten toch de begrafenis regelen en zo. En zijn familie, wie licht die in?"

„Als u wilt kunnen wij daarvoor zorgen, maar als u daar prijs op stelt mag u dat uiteraard ook zelf doen."

„Ik ken zijn familie amper," bekende Eva. „Zijn ouders leven niet meer en met zijn broers en zussen had hij geen contact. Eerlijk gezegd weet ik niet eens waar ze wonen."

Weer maakte de rechercheur een aantekening. „In dat geval zullen wij deze taak op ons nemen. Zodra de autopsie gedaan is en we voldoende gegevens hebben, zal het lichaam worden vrijgegeven en worden overgebracht naar een rouwcentrum. De benodigde regelingen daarvoor kunt u al treffen, maar we kunnen geen uitsluitsel geven over het precieze tijdstip."

Eva voelde zich misselijk worden toen ze deze man zo kil over 'het lichaam' hoorde praten. Het klonk zo klinisch en afstandelijk. Voor de rechercheur was dat waarschijnlijk logisch, maar haar gevoel kwam ertegen in opstand. Rutger was zoveel meer dan slechts een lichaam voor haar. Eergisteren had ze nog in zijn armen gelegen en had ze zijn hart tegen het hare voelen kloppen. Zijn armen hadden zich stevig om haar lichaam gesloten en zijn mond had warm op de hare gelegen. Een huivering kroop langzaam over haar rug. Het was niet te vatten dat dit nooit meer zou gebeuren, dat ze Rutger nooit meer zou horen praten, nooit meer zou zien lachen en nooit meer met hem zou vrijen. Onvoorstelbaar dat een jonge man in de kracht van zijn leven zomaar weggerukt werd, zonder dat iemand het aan had zien komen. Juist het onverwachte maakte het zo onbegrijpelijk en absurd.

Onwillekeurig gleden haar ogen toch steeds in de richting van de slaapkamer, alsof ze verwachtte dat Rutger straks gewoon naar buiten zou komen lopen, zich afvragend wat iedereen in zijn huis te zoeken had. Hij zou smakelijk lachen als hij hoorde wat alle consternatie te betekenen had, wist Eva. Vervolgens zou hij haar troosten vanwege de ellende die ze doorstaan had en haar verzekeren dat hij haar nooit en te nimmer alleen zou laten.

Natuurlijk gebeurde er niets van dit alles. Toen Eva de slaapkamer inliep om nog een blik op haar geliefde te werpen voor ze het huis zou verlaten, lag hij er nog net zo stil en koud bij als eerder die avond. Zijn ogen waren gesloten alsof hij gewoon lag te slapen, maar zijn diepe, regelmatige ademhaling die Eva zo vertrouwd was, ontbrak. Ze keek naar de wekker op het nachtkastje, het boek dat er naast lag en het halfvolle glas water. Rutger zette altijd een glas water neer voor hij ging slapen, omdat hij vaak wakker werd met een droge mond. Zijn kleren hingen keurig over de stoel aan het voeteneinde van het bed, ook een vaste gewoonte van hem. Rutger was netjes en ordelijk, iemand die altijd alles op een vaste plek wegborg en zijn zaken goed geregeld had. Hij was geen man die zomaar onvoorbereid uit het leven zou stappen zonder alles goed achter te laten, realiseerde Eva zich.

Deze ontdekking kwam als een schok. Stel dat de rechercheur gelijk had met zijn veronderstelling en het inderdaad zelfmoord betrof, dan zou Rutger haar nooit in het ongewisse laten daarover, besefte ze. Het minste wat hij in dat geval zou doen, was een uitgebreide brief met een verklaring achterlaten. Haar ogen vlogen koortsachtig door de slaapkamer heen, maar ze zag niets wat daarop wees. Ze wist zelf niet of ze nu opgelucht of teleurgesteld was. Het vinden en lezen van een dergelijke brief zou afschuwelijk zijn, maar in ieder geval wel de onzekerheid wegnemen over wat er gebeurd was.

Terug in de huiskamer deelde ze haar overpeinzingen met Mees Vlaming, die langzaam knikte. „Daar had ik zelf ook al aan gedacht, maar het feit dat er geen brief in het zicht ligt, wil niet zeggen dat hij ook niet bestaat. Hij kan bijvoorbeeld tussen zijn papieren zitten, of de heer Messing kan hem gepost hebben. In dat laatste geval ontvangt u hem morgen of uiterlijk overmorgen. Maar laten we niet op de zaken vooruitlopen en eerst afwachten wat de doodsoorzaak is. Er is in ieder geval niets wat duidt op geweldpleging of opzet. De kans op een natuurlijke doodsoorzaak is net zo groot als de kans op zelfmoord, vergeet dat niet."

„Wat doet u hier dan eigenlijk?" vroeg Albert zich af. „In allebei de gevallen is politieonderzoek tenslotte niet noodzakelijk."

„Ik ben hier op verzoek van de arts. Hij weigert de doodsverklaring te tekenen zonder grondig onderzoek vooraf, vanwege de jonge leeftijd van het slachtoffer," legde Mees uit. „Natuurlijk komt het voor dat jonge mensen plotseling door natuurlijke oorzaken overlijden, maar dat zijn de uitzonderingen en we willen niet het risico nemen dat een eventuele dader vrijuit gaat omdat er niet voldoende onderzoek is gedaan. In dit geval is er echter niets dat wijst op een misdaad, zoals ik net al zei. Wees daar maar blij om, hoe wrang dat misschien ook klinkt. Dit is overmacht, iets wat niemand had kunnen voorkomen, maar bij moord heeft u als nabestaande niet alleen te kampen met het verdriet en het gemis, maar ook met gevoelens als machteloosheid, woede en haat. Gevoelens die volkomen begrijpelijk zijn, maar die iedereen kan missen." Dit klonk onverwacht meelevend en begripvol uit de mond van de stugge rechercheur.

„Kom, ik breng je naar huis," zei Albert tegen Eva. Weer sloeg hij een arm om haar schouder en Eva protesteerde daar niet tegen. Normaal gesproken zou ze hier niets van moeten hebben, maar in deze omstandigheden was ze alleen maar blij met Alberts aanwezigheid. Zijn aanrakingen hadden iets troostends.

„Ga je nog even mee naar binnen?" vroeg ze dan ook nadat hij zijn auto voor haar huisdeur had geparkeerd. Ze merkte zelf niet hoe smekend haar stem klonk. „Ik wil liever niet alleen zijn nu."

In zijn blik, die hij even op haar liet rusten, was een mengeling van bezorgdheid en tederheid te lezen. „Natuurlijk," antwoordde hij direct. „Ik moet er nu zelf ook niet aan denken om in mijn eentje thuis te zitten. Van slapen zal waarschijnlijk toch niets komen, dus dan verzand je alleen maar in nodeloos gepieker en vraag je jezelf allemaal dingen af waar geen antwoord op komt. We moeten elkaar maar een beetje tot steun zijn de komende tijd, Eva. Rutger zou niet anders gewild hebben."

Eva rilde. „Bah, wat klinkt dat zwaar. Ik weet dat hij dood is, maar mijn hersens willen het nog niet accepteren. Die rechercheur sprak ook al steeds in de verleden tijd waar het Rutger betrof. Ik heb echter nog steeds het gevoel dat het alleen een nare droom is waar ik ieder moment uit kan ontwaken."

„Was het maar waar," zei Albert somber. Hij stapte uit de wagen en hield vervolgens het portier aan haar kant open.

Zwijgend liepen ze Eva's huis binnen. Ze was maar een paar uur weggeweest, het leken echter wel dagen. Haar eigen inrichting kwam haar vreemd voor, alsof ze haar meubels al heel lang niet gezien had. Alles was nog hetzelfde als toen ze hier weggegaan was, toch leek het heel anders. Leger. Ontheemd keek ze om zich heen.

„Eergisteren was Rutger hier nog," zei ze. „We waren samen de hele dag op stap geweest. Het was zo'n heerlijke dag, eentje die je maar zelden meemaakt. De zon scheen, we lachten veel en we waren simpelweg gelukkig. Het kwam die avond geen seconde in me op dat dat de laatste keer was dat we elkaar zagen. Integendeel, we maakten volop plannen voor onze toekomst."

„Daarom vind ik het idee van zelfmoord ook zo absurd," haakte Albert daarop in. „Rutger was dolgelukkig omdat hij weer met jou samen was. Dat is in ieder geval iets waar je nooit aan hoeft te twijfelen, Eva. Wat de uitslag van die autopsie ook mag uitwijzen. Ik kende Rutger van haver tot gort en ik weet dat jij de hele wereld voor hem betekende. Hij zou alles opgegeven hebben in ruil voor jou. Sinds ik hem ken, en dat is al aardig wat jaren, heb ik hem nog niet zo meegemaakt, zo ontspannen en zorgeloos."

„Hoe hebben jullie elkaar eigenlijk leren kennen?" vroeg Eva geïnteresseerd terwijl ze een kop hete koffie voor hem neerzette en er ook eentje voor haarzelf inschonk. Het was inmiddels midden in de nacht, maar ze hadden allebei geen behoefte aan slaap.

„Ik ken Rutger vanaf de tijd dat hij nog op straat rondzwierf," begon Albert te vertellen. „Een vriend van me was van huis weggelopen en dreigde ook helemaal af te glijden. Hij sliep in een kraakpand met een stel andere jongeren en één daarvan was Rutger. Ik ging regelmatig naar Paul, mijn vriend, toe en leerde zodoende Rutger ook steeds beter kennen. Paul is uiteindelijk gestorven aan een overdosis en Rutger en ik hadden veel steun aan elkaar bij de verwerking daarvan." Hij vertelde het rustig, maar Eva zag aan de manier waarop hij met zijn vingers op het tafelblad trommelde dat de herinnering hem nog steeds aangreep.

„Wat erg," zei ze meelevend. „Wat zul je je machteloos gevoeld hebben in die tijd."

Albert knikte. „Dat kun je wel zeggen, ja," zei hij wrang. „Ik zag hem voor mijn ogen steeds verder de vernieling ingaan, maar niets van wat ik zei of deed kon hem helpen. Zijn dood is echter niet helemaal voor niets geweest. Rutger ging inzien hoe gevaarlijk dat wereldje was en gooide radicaal het roer om. Mijn vriend heb ik niet kunnen helpen, maar Rutger liet vanaf dat moment wél hulp toe in zijn leven en daardoor voelde ik me ook beter. Ik kon eindelijk iets doen."

„Dus jij hebt hem van de drugs afgeholpen," begreep Eva.

„Nee, dat heeft hij zelf gedaan. Ik zorgde alleen maar voor betere omstandigheden voor hem, zodat hij het ook vol kon houden. Afkicken is dubbel zo moeilijk als je omringd wordt door mensen die zelf ook gebruiken. Ik stond in die tijd zelf op het punt om mijn ouderlijk huis uit te gaan en heb een flatje gehuurd waar we met zijn tweeën in konden wonen. Eenmaal weg uit dat kraakpand waar hij niet constant met andere verslaafden in aanraking kwam, ging het beter met hem. Ik zorgde ervoor dat hij regelmatig at en zich iedere dag douchte, want dat zijn basisvoorwaarden om je een volwaardig mens te voelen."

„Wat goed van je," vond Eva waarderend. Ze zag hem ineens met heel andere ogen. Rutger vertelde altijd heel weinig over de jaren die hij op straat had doorgebracht en dit verhaal was dan ook nieuw voor haar. Albert, die ze altijd een beetje gluiperig had gevonden, werd er ineens erg sympathiek door, vooral omdat hij zich er niet op liet voorstaan. Hij deed erg bescheiden over zijn aandeel, maar Eva begreep wel dat het een erg moeilijke tijd was geweest voor allebei de mannen.

„Ik ben altijd blij geweest dat ik het heb kunnen en mogen doen," zei Albert eenvoudig. „Bovendien heb ik er een erg goede vriend aan overgehouden. We zijn samen in zaken gegaan en dat heeft ons geen windeieren gelegd. Het zal vreemd zijn om voortaan zonder Rutger te moeten werken." Hij staarde even peinzend voor zich uit.

Eva zag dat hij moeite moest doen om zich goed te houden. Ze schonk opnieuw koffie voor hen in om hem de kans te geven weer wat tot zichzelf te komen.

„Vertel nog eens wat," verzocht ze daarna. Ze trok haar benen onder zich op de bank en klemde de beker hete koffie in haar beide handen. Ze waren ineens vreemd vertrouwelijk met elkaar. Het nachtelijke uur en de schemerig verlichte kamer noodden tot het uitwisselen van verhalen. Het leidde hen wat af van wat er gebeurd was en van wat hun nog te wachten stond in de nabije toekomst. „Ik realiseerde me net dat ik eigenlijk maar heel weinig van Rutger af weet, bij al die vragen van die rechercheur. Van de Rutger van vroeger wist ik alles, maar niet van de afgelopen jaren."

„Hij was sterk. Van een straatjochie heeft hij zich opgewerkt tot een goede zakenman met een brede algemene ontwikkeling. Dat is echt niet zonder slag of stoot gegaan, daar heeft hij keihard voor gewerkt," zei Albert.

„Hij was van plan om ander werk te zoeken, zodat hij meer tijd voor mij zou hebben."

„Daar hoor ik van op. Tegen mij had hij nog niets gezegd. Ik vraag me trouwens af of dat goed gegaan zou zijn. Ik ben bang dat hij zich behoorlijk verveeld zou hebben bij een baan met vaste tijden en een geregeld leven. Dat was niets voor Rutger."

„We zagen elkaar nu te weinig, vond hij." Haar handen begonnen te trillen en snel zette Eva haar beker op tafel. „Dat klinkt erg wrang vergeleken bij de harde realiteit van dit moment. Ik zal hem nooit meer zien."

„Misschien heeft zijn dood ook een reden," zei Albert langzaam en peinzend. „Kijk niet zo boos naar me, ik bedoel hier absoluut niet mee dat je er geen verdriet van mag hebben of zo, maar achteraf zie je toch vaak de betekenis van iets. De dood van Paul heeft ertoe geleid dat Rutger afkickte en een normaal leven kon leiden."

„Ik kan me niet voorstellen dat het overlijden van Rutger ook maar één positief effect kan hebben," zei Eva opstandig. „Het brengt alleen maar verdriet en ellende met zich mee. Mijn hele toekomst is weg. Ik zou niet weten wat voor reden dat moet hebben."

„Daar kom je ook altijd pas later achter," wist Albert. „Als je het geheel kunt overzien. Ik weet het ook niet, Eva, maar zulke gedachten kunnen helpen." Hij stond op. „Het wordt al licht, zie ik. Ik ga naar huis om wat mensen te bellen en zaken te regelen. Kan ik nog iets voor je doen?"

Eva schudde haar hoofd. „Ga maar. Dank je wel dat je bij me bent gebleven vannacht."

„Dank je wel dat ik mocht blijven," antwoordde hij daarop. Hij liep naar haar toe en streelde even heel licht haar wang. „Bel me onmiddellijk als er iets is of als je behoefte hebt aan gezelschap," verzocht hij dringend.

Eva beloofde het en even later liet ze hem uit. Zittend in de gemakkelijke stoel die hij net verlaten had, dommelde ze toch even in, om even later met een schok te ontwaken. Met een onwezenlijk gevoel keek ze om zich heen. Waar was ze? Waarom zat ze hier? Wat was er aan de hand? Slechts heel langzaam drong de harde werkelijkheid weer tot haar door. Huiverend stond ze op om nog een kop koffie in te schenken, de zoveelste al. Ze wilde wachten met Viola bellen tot die haar bed uit zou zijn en om die tijd te overbruggen begon ze wat op te ruimen. Daarbij stuitte ze op de bloknoot die ze nog maar een paar dagen geleden had gebruikt om hun toekomstplannen in uit te werken. Met brandende ogen staarde ze naar de aantekeningen betreffende het soort huis dat ze zouden gaan kopen. Een huis met voldoende slaapkamers voor hun drie kinderen en met een tuin voor de schommel en het zwembadje.

Een tuin waarin Bastiaan, Pim en Chantal lekker konden ravotten met hun hondje Loeki...

Eindelijk begon Eva te huilen, voor het eerst sinds de onheilstijding. Ze sloeg haar handen voor haar gezicht en snikte tot ze uitgeput was. Al die mooie dromen waren plotseling weggevaagd alsof ze nooit bestaan hadden, net zoals haar aantekeningen nu weggevaagd werden door haar tranen. Niets, helemaal niets, was er meer over.

Ze staarde naar de bevlekte bladzijden van haar bloknoot, die er nu net zo triest uitzagen als haar leven op dat moment.

HOOFDSTUK 10

Iedereen in Eva's vriendenkring reageerde geschokt op de plotselinge dood van Rutger. Ze werd de eerste dagen overspoeld door telefoontjes, kaarten en bezoekjes van de leden van de verenigingen waar ze op zat en van mensen die in het medische centrum werkten waar ook het consultatiebureau in onder was gebracht. Alle aandacht was hartverwarmend en hielp haar door vele moeilijke uren heen. Ze was dankbaar dat ze er niet alleen voor stond, hoewel ze realistisch genoeg was om te beseffen dat deze aanloop niet eeuwig zou duren. Na de begrafenis zou iedereen zijn eigen leven weer oppikken en mocht ze al blij zijn als ze af en toe nog zouden bellen, terwijl dan juist voor haar het allermoeilijkste aan zou breken. Een leven zonder Rutger...

Eva kon het zich nog steeds niet voorstellen. Ze had nog geen tijd gehad om hem echt te missen, want daarvoor waren deze dagen te druk met alle regelingen die getroffen moesten worden, maar ze wist nu al dat ze na de begrafenis in een diep, zwart gat zou belanden. Het besef dat ze voortaan weer in haar eentje door het leven moest gaan, zat diep verankerd in haar hart en hoofd.

Ze was die eerste dagen geen seconde alleen. Haar vriendinnen hadden zich opgeworpen als haar persoonlijke verzorgsters en zij zorgden ervoor dat er voortdurend minstens één iemand bij haar was. Ook Albert kwam regelmatig langs en zelfs Brian Hoekstra, de voorzitter van hun tennisclub, toonde zich een ware vriend. Eva kende hem eigenlijk amper, maar merkte nu dat ze veel steun aan hem had. Omdat hij het niet verantwoord vond dat ze in deze omstandigheden zelf achter het stuur zou kruipen, had hij zich aangeboden als haar chauffeur en bracht haar overal waar ze heen moest. Hij was ook bij haar toen rechercheur Mees Vlaming haar persoonlijk de uitslag van de autopsie kwam brengen.

„Het was inderdaad een overdosis aan pijnstillers, in combinatie met alcohol," zei hij. „We kunnen dan ook niet anders dan de conclusie trekken dat het hier om zelfmoord gaat."

„Maar dat kan niet." Verslagen liet Eva zich op de bank zakken. „Dat is onmogelijk. We stonden op het punt van trouwen, we maakten plannen voor de toekomst… Rutger had zelfs de namen van onze kinderen al verzonnen! Ik kan dit niet geloven."

„Iets anders kunnen we er niet van maken. Het was in ieder geval geen natuurlijke dood."

„Maar zelfmoord?" Eva schudde haar hoofd. Ze voelde de hand van Brian op haar schouder en greep hem vast in een poging wat steun te zoeken. Haar hoofd tolde en haar knieën voelden vreemd bibberig aan. De kamer leek wel om haar heen te draaien. Ze sloot even haar ogen omdat alles wazig begon te worden.

„Hé, blijf er even bij." Brian schudde haar zacht heen en weer. „Hou je hoofd even tussen je knieën, goed zo. Rustig door blijven ademen."

„Het gaat wel weer." Eva nam een glas water van Mees aan, maar vanwege haar bibberende handen kostte het haar moeite om een slok te nemen.

„Het spijt me dat ik u geen ander nieuws kan melden," zei Mees vormelijk. „We hebben ons echter te houden aan de feiten en die spreken voor zich."

„Maar de lege pillendoosjes lagen in de badkamer. Is het echt mogelijk dat hij ze daar ingenomen heeft om vervolgens naar zijn slaapkamer te lopen, zich uit te kleden en in bed te kruipen? Zijn kleren lagen keurig opgevouwen, net zoals altijd," zei Eva. Haar hersens werkten nu op volle toeren.

„Waarschijnlijk had hij zich al uitgekleed. De korte afstand van badkamer naar slaapkamer kon hij nog makkelijk overbruggen. Je raakt niet onmiddellijk bewusteloos, dat duurt even."

„En die alcohol waar u het net over had? Als hij de pillen heeft ingenomen met alcohol, moet er een fles in de badkamer hebben gestaan," schoot het Eva te binnen. Ze klampte zich aan iedere strohalm vast die ze kon vinden. „Volgens mij stond die daar niet. Ik kan me tenminste niet voorstellen dat ik dat niet opgemerkt zou hebben."

„Er stond een cognacglas op de salontafel," antwoordde Mees geduldig. „We vermoeden dat hij zich eerst moed heeft ingedronken voor hij tot de uiteindelijke daad overging. In het glas zijn geen sporen gevonden van de pillen, dus hij heeft ze later ingenomen."

Ze lachte even schamper. „U heeft op alles een antwoord, hè? Kunt u me ook vertellen waarom Rutger dit in vredesnaam zou doen? Waarom zou hij zelfmoord plegen op dit punt in zijn leven, net toen we op het punt stonden om te trouwen? We waren gelukkig met elkaar!" Die laatste woorden schreeuwde ze, als een wanhoopskreet.

„Misschien is hij in paniek geraakt," zei Mees voorzichtig. „Een kat in het nauw maakt rare sprongen. Wellicht heeft hij u niet alles over zichzelf verteld en durfde hij geen confrontatie meer aan."

„Hoe bedoelt u dat? Ik weet alles van hem," zei Eva ferm. Op hetzelfde moment dat ze het zei, begon ze echter al te twijfelen. Wat kende ze Rutger eigenlijk? Vroeger had ze hem goed gekend, ja, maar van de twaalf tussenliggende jaren had hij eigenlijk alleen maar verteld dat hij op straat geleefd had. Ze had van Albert moeten horen waarom hij afgekickt was en een normaal leven was gaan leiden, Rutger vermeed dat gespreksonderwerp altijd. De Rutger die ze kende, was de Rutger van vroeger. Sinds ze hem weer ontmoet had was hun relatie in een stroomversnelling geraakt. Ze waren zo druk geweest met verliefd zijn en toekomstplannen maken dat ze weinig gepraat hadden over het verleden. Ze wist zelfs amper wat zijn werk inhield, waarom het contact met zijn broers en zussen verbroken was en ze kende geen collega's of vrienden van hem, behalve Albert. Onzeker keek ze van Mees naar Brian.

„Het was maar een veronderstelling van me," zei Mees vriendelijk. „Een mens probeert toch altijd een verklaring te zoeken in dit soort gevallen, vooral als er geen aanwijzingen zijn. Wat we wel weten van uw verloofde, is dat hij een strafblad heeft dat dateert van jaren geleden."

Hij keek haar vorsend aan en Eva knikte opgelucht. Als die rechercheur daarop doelde, was het geen probleem. Daar wist ze in ieder geval alles van.

„Dat klopt," zei ze dan ook meteen. „In zijn jeugd kwam hij met de verkeerde mensen in aanraking, waarna hij langzaam maar zeker afgleed naar het criminele circuit. In die tijd hadden wij ook al een relatie, die ik echter juist om die redenen verbroken heb. Ik wilde geen toekomst opbouwen met een man die regelmatig in de gevangenis zat. Een paar maanden geleden zijn we elkaar weer tegengekomen en bleek dat we nog steeds dezelfde gevoelens hadden. Rutger was niet bepaald trots op zijn verleden, maar hij heeft zich er bovenuit weten te werken. De laatste keer dat hij met de politie in aanraking is geweest, is jaren geleden."

Mees knikte. „Acht jaar, om precies te zijn. Als u daarvan op de hoogte bent, was dat dus niet de reden. Ik vrees dat we er nooit achter zullen komen waarom hij het precies gedaan heeft. Meestal is er ook niet één directe reden, maar een opeenstapeling van gebeurtenissen die iemand niet kon verwerken. Het is moeilijk, zeg maar onmogelijk, om in andermans hoofd te kijken. Wat voor de één een kleine tegenslag is, betekent voor de ander een drama. Probeer er niet te veel over te piekeren."

„Dat klinkt nogal makkelijk."

„Zo bedoelde ik dat niet. De dood van een dierbaar iemand is altijd moeilijk te verwerken, maar het heeft geen nut om jezelf voortdurend af te vragen waarom de dingen zo gegaan zijn. U had het in ieder geval nooit kunnen voorkomen, zoveel weet ik er inmiddels wel van af. Als iemand echt dergelijke plannen heeft, kan niets of niemand hem daarvan weerhouden.

Ik heb overigens contact gehad met zijn oudste broer. Mijn indruk is dat de familie er weinig tot niets mee te maken wilde hebben, maar hij zou u in ieder geval bellen voor de zakelijke afwikkeling van de begrafenis. Er was een verzekering, maar die keert uiteraard alleen aan de wettelijke erfgenamen uit, in dit geval zijn broers en zussen. Ik neem tenminste aan dat jullie nog niets geregeld hadden op dit gebied?" Hij keek haar vragend aan.

„Nee, zover waren we nog niet," gaf Eva toe. „We zouden gaan trouwen, dan zijn dat soort dingen automatisch geregeld."

„Voor zover ik uit het gesprek op kon maken, zal de familie u in ieder geval niet voor de kosten op laten draaien," zei Mees terwijl hij opstond. „Ik kan niet anders doen dan u heel veel sterkte wensen de komende tijd." Hij schudde haar onverwacht hartelijk de hand.

„Ik kan het nog steeds niet geloven," zei Eva zodra Mees de buitendeur achter zich dicht had getrokken. „Iemand pleegt toch niet zomaar zelfmoord, zonder duidelijke verklaring of aanwijzing?"

„Ik kende Rutger amper, dus ik kan daar geen zinnig woord over zeggen," reageerde Brian.

„Maar we waren gelukkig," herhaalde Eva wanhopig. „Het laatste weekend hebben we alleen maar over de toekomst gepraat. Over wat voor soort huis we zouden kopen, het werk dat Rutger zou gaan zoeken, de kinderen die we zouden krijgen, de hond die we wilden nemen."

„Misschien benauwde dat hem juist," veronderstelde Brian voorzichtig. „Je hoort wel vaker dat mannen in paniek raken op zo'n moment."

„Dan had ik dat vast wel gemerkt. Rutger verheugde zich net zo op onze bruiloft als ik."

„Als hij samen was met jou wel, maar misschien vloog het idee om zich vast te leggen hem wel aan zodra hij alleen was. Wellicht heeft hij in een sombere bui te veel gedronken, waardoor die angstige gevoelens alleen maar versterkt werden en heeft hij daarom in een vlaag van verstandsverbijstering te veel pillen ingenomen. Het feit dat er geen afscheidsbrief was, geeft volgens mij aan dat hij in een opwelling gehandeld heeft."

„Het zijn allemaal veronderstellingen, niemand weet iets zeker," zei Eva somber.

„Ik vrees dat je dat zult moeten accepteren, hoe moeilijk het ook is."

„Kan het niet zo zijn dat iemand hem dronken heeft gevoerd en hem vervolgens die pillen heeft toegediend?" vroeg Eva zich af. Ze wendde zich tot Brian. „Dat is toch niet onmogelijk? Jij werkt zelf toch ook bij de politie, je zult wel vreemdere dingen hebben meegemaakt."

„Eva, stop hiermee," zei Brian echter resoluut. „Ik begrijp dat je op zoek bent naar een verklaring, maar nu gaat je fantasie met je op de loop. Ik werk inderdaad bij de politie en daarom durf ik ook gerust te stellen dat alle mogelijkheden goed onderzocht zijn. Er is geen enkele reden om aan te nemen dat er opzet in het spel was."

„Er is ook geen enkele reden tot zelfmoord," hield Eva hardnekkig vol. „Er moet meer aan de hand zijn, dat voel ik gewoon."

„Maak jezelf nou niet gek met dergelijke hersenspinsels. Zodra er aanwijzingen zijn om te denken dat er meer speelt, wordt dat heus goed onderzocht." Hij liep op haar toe en sloeg met een vriendschappelijk gebaar zijn armen om haar heen. Tegen zijn brede schouder aan snikte Eva het uit. Dit alles was zo ongelooflijk moeilijk te bevatten dat ze het gevoel had dat ze gek aan het worden was.

De dag van de begrafenis was het stralend weer. Hetzelfde weer als afgelopen zondag, constateerde Eva 's ochtends bij het opstaan. Dankzij een onschuldig slaapmiddeltje had ze redelijk goed geslapen en werd ze pas om half tien wakker. Ze hoorde Carola en Janet, die de nacht bij haar hadden doorgebracht, samen in de keuken bezig, maar had geen zin om zich bij hen te voegen. Het zou nog een paar uur duren voor de zwarte wagens hen op kwamen halen, dus ze had geen haast. Huiverend, ondanks het warme zonnetje dat zo gul zijn stralen liet zien, stond ze voor het raam. Het was nu zaterdag, nog maar zes dagen geleden had ze de meest volmaakte dag uit haar leven beleefd. Nu stond ze voor de moeilijkste uren die een mens maar kan doorstaan.

En dat alles in één week tijd, onvoorstelbaar.

Rutger was altijd een deel van haar leven geweest, ook in de jaren dat ze geen contact met elkaar hadden gehad. Nu was dat definitief voorbij. Samen met zijn lichaam begroef ze vandaag ook een groot deel van haar verleden, haar toe-komst en haar dromen. Hij had zo'n impact gehad op de jaren waarin ze zich ontwikkelde van onzekere puber tot een volwassen vrouw. Zonder hem zou haar leven heel anders verlopen zijn. Misschien beter, misschien slechter, dat wist ze niet.

Uit haar linnenkast pakte ze een schoenendoos die vol zat met jeugdherinneringen. Ook al had ze het indertijd zelf uit-gemaakt met Rutger, ze had het nooit over haar hart kunnen verkrijgen om deze dierbare kleinoden weg te doen. Tijdens die zwarte periode waarin ze haar abortus probeerde te ver-werken had ze regelmatig met deze doos op schoot gezeten, mijmerend over alles wat voorbij was. Voor het eerst sinds jaren liet ze nu alles weer door haar handen glijden. De foto's waar ze samen op stonden terwijl ze gekke gezichten trokken naar de camera, bioscoopkaartjes van films die ze samen hadden gezien, een briefje met lieve woordjes dat hij ooit stiekem in haar jaszak had gestopt, het zilveren arm-bandje dat ze voor haar zeventiende verjaardag van hem had gekregen. Helemaal onderin vond ze het dagboek dat ze in die tijd bijhield, maar dat liet Eva liggen. Dat was té con-fronterend op dat moment.

Dat dagboek was ze begonnen op de dag dat ze haar zwan-gerschap ontdekte. Ze durfde er met niemand over te pra-ten, daarom was ze haar gevoelens op gaan schrijven. Ze hoefde het niet te herlezen om te weten wat erin stond. Bijna lijfelijk voelde ze weer de pijn van toen. Na de abortus had ze er nog één keer in geschreven, daarna had ze het weggestopt en het nooit meer ingekeken. Toch wilde ze het niet weggooien. Het was zo'n belangrijke periode in haar leven geweest, bepalend voor alles wat daarna gekomen was.

Na een kort klopje op haar deur kwam Carola haar slaapkamer binnen. „Ah, je bent al wakker," zag ze. „Wat ben je aan het doen?"

„Jeugdherinneringen aan het bekijken." Haastig stopte Eva alles weer terug in de doos. Deze attributen waren niet voor andermans ogen bestemd, zelfs niet voor haar allerbeste vriendinnen.

„Janet en ik hebben het ontbijt klaarstaan, kom je?"

„Ik hoef niet te eten," antwoordde Eva afwerend.

„Natuurlijk wel." Resoluut pakte Carola haar bij haar arm en voerde haar mee naar de keuken, waar de tafel gedekt stond. „Je moet de hele dag nog door, dat kan niet op een lege maag. Koffie of thee erbij?"

„Koffie. Veel en heet graag."

Zwijgend en met moeite werkte Eva een boterham naar binnen. Dat was makkelijker dan vol blijven houden dat ze niets hoefde te eten, wist ze. Ze had nu echt geen zin in discussies met haar vriendinnen. Hoe goed ze het ook bedoelden en hoe dankbaar ze hen ook was voor hun hulp en hun steun, ze zou toch blij zijn als ze na de begrafenis allemaal weer naar hun eigen huis gingen en zij eindelijk even alleen kon zijn. Ze had zin om heel lang en heel hard te huilen. Te schreeuwen desnoods, als het maar hielp om dat benauwde gevoel in haar hoofd en hart enigszins kwijt te raken. Maar dan niet in het gezelschap van anderen. Voor zo'n uitbarsting moest ze in haar eentje zijn, zonder mensen die haar probeerden te troosten of die haar moed in wilden spreken. Ze wilde niet getroost worden, er waren toch geen woorden te vinden die haar echt zouden helpen. Ze moest hier helemaal alleen doorheen, net zoals ze vroeger in haar eentje de abortus had doorstaan. Toen nam ze afscheid van haar kindje, nu van zijn of haar vader.

Het was niet druk op de begraafplaats. Eva's ouders hadden over willen komen uit Frankrijk, maar een griepje van haar moeder had die plannen gedwarsboomd. Ze was er niet eens rouwig om. De band met haar ouders was ronduit slecht en ze had geen zin in gehuichel. Vroeger, toen ze hen het hardst nodig had, hadden ze haar laten vallen, dus nu hoefden ze niet de bezorgde, meelevende ouders uit te hangen, oordeelde Eva hard. Viola en Andreas waren er, Mieke, Janet en Carola, Albert en Brian en enkele leden van de band en tennisclub, die Rutger weliswaar amper gekend hadden, maar die waren gekomen om Eva te steunen. Omdat ze niets af wist van mensen met wie Rutger omging, had Eva een advertentie in de krant laten plaatsen, maar er was niemand aanwezig die ze niet kende. Rutgers familie had te kennen gegeven dat ze liever niet aanwezig wilden zijn. Eva had door de telefoon met zijn oudste broer gesproken, maar die had erg afwerend geklonken. Behalve over de zakelijke afwikkeling hadden ze nergens over gesproken. Ze wist niet eens of hij wel doorhad dat zij dezelfde Eva was met wie Rutger vroeger verkering had gehad, realiseerde ze zich later, toen het gesprek al beëindigd was.

Pas op het laatste moment, vlak voor de deuren van de aula gesloten werden, glipte er nog een onbekende man binnen. Hij kwam Eva vaag bekend voor, maar ze kon hem niet plaatsen. Zodra de muziek begon zette ze hem echter uit haar hoofd. Ze wilde bewust afscheid nemen van Rutger, zonder andere gedachten in haar hoofd.

Pas na het officiële gedeelte, in de koffiekamer, kwam de vreemde man met uitgestoken hand op haar af.

„U moet Rutgers verloofde zijn," zei hij. „We hebben elkaar door de telefoon gesproken. Ik ben Evert Messing."

„Rutgers oudste broer," wist ze. „Daarom kwam je me zo bekend voor."

Hij keek haar even niet-begrijpend aan voor zijn ogen oplichtten. „Eva Lieversen, natuurlijk! Het kwartje valt nu pas bij me, maar het is ook zo'n tijd geleden. Hoe is het mogelijk! Jij en Rutger hadden elkaar dus weer gevonden?"

„Enkele maanden geleden," bevestigde ze. „We kwamen vrijwel meteen tot de ontdekking dat onze gevoelens niets veranderd waren ten opzichte van vroeger. Twee weken geleden heeft hij me ten huwelijk gevraagd." Haar stem trilde, maar ze wist zich in bedwang te houden.

„Dat verbaast me," zei Evert nadenkend. „Rutger was nou

niet bepaald het type voor een vaste relatie en een geregeld leven."

„Jullie hebben het contact met hem verbroken, niemand weet hoe het hem de laatste jaren vergaan is," zei Eva met een licht verwijt in haar stem.

„Hij wilde ons niet meer zien," verbeterde Evert haar echter. „Ik wil hier op de begrafenis van mijn broer niet alles uit het verleden oprakelen, maar ik vind wel dat je de juiste feiten moet kennen. Rutger was geen lieverdje."

„Vroeger misschien niet, maar hij was veranderd. Hij is afge-kickt en heeft hard gewerkt. Met resultaat overigens. De laatste jaren is het hem financieel voor de wind gegaan." Eva kon er niets aan doen dat er toch enig leedvermaak in haar stem doorklonk. Die Evert kon nu wel net doen of hij veel beter was dan Rutger, maar hij mocht best weten dat zijn broertje hem op vele vlakken voorbij was gestreefd.

Evert leek echter niet onder de indruk. „Dat is fijn om te horen," zei hij effen. „Maar ik heb daar toch zo mijn twijfels over. De Rutger die ik ken was niet zo'n harde werker."

„Misschien hadden jullie wat beter je best moeten doen om hem te leren kennen," zei Eva stroef.

„Zoals ik al zei, Rutger was degene die het contact heeft ver-broken. Niemand weet eigenlijk precies waarom, er is geen echte ruzie geweest of zo. Misschien voelde hij zelf ook wel dat hij anders was dan de rest, dat hij er niet echt bij hoor-de. Hij is altijd een buitenbeentje geweest in ons gezin. Sorry dat ik het zeggen moet, maar hij wilde niet deugen."

„Wat doe je hier eigenlijk als je er zo over denkt?" vroeg Eva scherp.

Hij haalde zijn schouders op. „Hij is toch mijn broer. Ik was het niet van plan, maar vanochtend had ik geen rust in mijn lijf en besloot ik toch te komen. Ik ben blij dat ik het gedaan heb, Eva, het is toch fijn om te horen dat het hem de laatste jaren goed is gegaan en dat hij niet bezweken is aan die drugsrotzooi. Wij zijn altijd bang geweest dat die troep zijn ondergang zou worden."

„Rutger had niets met drugs te maken," wist Eva stellig.

Toch was er een klein zaadje van twijfel in haar hart ge-
zaaid. Ze zei dat nu wel zo overtuigend, maar was ze zelf
niet pas tot de conclusie gekomen dat ze Rutger eigenlijk
helemaal niet goed gekend had? Maar nee, dat was onzin.
Vroeger was hij dan misschien geen lieverdje geweest, maar
hij had zich boven dat milieu uitgewerkt. Ze moest zich geen
rare dingen in haar hoofd gaan halen omdat ze niet precies
wist waar zijn werk uit had bestaan.

HOOFDSTUK 11

Het was vreemd om te merken dat het leven gewoon doorging na de begrafenis. Eva ging weer aan het werk, bezocht trouw de tennisclub en liep de optredens met de band zoals vroeger, alsof er niets aan de hand was. Af en toe leek het zelfs of die vier maanden met Rutger niet bestaan hadden, al voelde haar hart dan ook aan alsof er een groot gat in zat. Het was een onwerkelijke gedachte dat de man die zoveel jaar van haar leven bepaald had, er nu niet meer was. Het gemis drukte zwaar op haar. Voor hun hernieuwde kennismaking had Eva weliswaar een druk en actief leven geleid, maar was ze diep in haar hart erg eenzaam geweest. Rutger had die eenzaamheid opgeheven en liefde en vrolijkheid in haar leven gebracht. Samen met hem had ze een doel in het leven en had de toekomst er zonnig uitgezien. Nu was ze echter weer terug bij af. De eenzaamheid die voordien al een rol had gespeeld, drukte nu dubbel op haar. Voor het eerst begon ze echt spijt te krijgen van de abortus die ze had ondergaan. Als ze die toen niet had doorgezet, had ze nu tenminste nog een kind van Rutger gehad, die gedachte spookte steeds vaker door haar hoofd heen nu de kans op een kind samen met hem definitief verkeken was. Het waren gedachten die ze met niemand kon delen, waardoor ze er steeds meer last van begon te krijgen. De enige persoon, buiten haar ouders, die van de abortus af wist was Rutger zelf geweest. Bij haar ouders hoefde ze zeker niet aan te komen nu, wist ze. Die waren indertijd woedend geweest omdat ze zo lichtzinnig met een ongeboren leven omging, volgens hen. Ze hadden haar altijd voorspeld dat ze er vroeg of laat spijt van zou krijgen en ze had er absoluut geen behoefte aan om 'zie je wel' te horen te krijgen. Daarom bleef ze in haar eentje doorworstelen met deze gevoelens, ondanks de vele vrienden die ze om zich heen had en die altijd bereid waren om haar te helpen en naar haar te luisteren. Een paar keer had ze op het punt gestaan om haar hart uit te storten bij Viola, maar het zwijgen over

die ingrijpende gebeurtenis was zo'n tweede natuur geworden dat ze het steeds op het laatste moment weer inslikte.
Bovendien stond Viola zelf op het punt om moeder te worden, ze kon haar op dit moment niet belasten met verhalen
over een abortus.

Ook het feit dat ze totaal geen aanwijzingen had waarom
Rutger het gedaan had, bleef haar bezighouden. Dat was
niet iets wat ze makkelijk van zich af kon zetten. Ze bleef
het gevoel houden dat er meer aan de hand was, dat er dingen speelden waar zij niets van af wist en dat was geen prettig gevoel. Het gaf haar het idee dat ze Rutger eigenlijk helemaal niet gekend had, dat hij belangrijke zaken voor haar
verborgen had gehouden. Tenslotte moest er een reden zijn
voor zijn handelen, maar wat dat betrof tastte ze volledig in
het duister. Ze begreep het niet en vond ook geen nieuwe
aanknopingspunten die een ander licht op de zaak konden
werpen. Hoe lang en hoe vaak ze er ook over nadacht, ze
kwam geen steek verder. Het bleef gissen waarom.

Gelukkig voor Eva zat ze midden in een drukke periode,
zodat er weinig tijd overbleef om te piekeren. Het consultatiebureau was momenteel bezig met de voorbereidingen
voor een aantal cursussen voor jonge ouders, in samenwer-
king met een peuterspeelzaal. Eva had zich onmiddellijk
opgegeven om het project te leiden, want ze was blij met
ieder uur afleiding. Voor de band stonden er een aantal
grote concoursen en kampioenschappen gepland, die de
nodige extra repetities met zich meebrachten en Carola, die
bang was dat Eva zich weer vol zou proppen met troost-
voedsel, sleepte haar iedere week minstens twee keer mee
naar de sportschool. De schaarse vrije uren die er overble-
ven werden opgevuld door haar vriendinnen en door Albert
en Brian. Allebei de mannen hadden zich opgeworpen als
echte vrienden. Vooral Albert, tot Eva's grote verbazing. In
eerste instantie was ze er van uitgegaan dat het contact tussen hen wel zou verwateren nu Rutger er niet meer was,
maar het tegendeel bleek waar te zijn. Hij belde haar regelmatig, nam haar mee uit eten en stond vaak op zondag, de

langste dag van de week voor Eva, op de stoep om haar ergens mee naar toe te nemen. In het begin gingen hun gesprekken voornamelijk over Rutger, maar langzaam maar zeker was daar verandering in gekomen en werden ze steeds persoonlijker. Eva ging hem steeds meer mogen en waarderen, iets wat ze een paar maanden geleden niet voor mogelijk had gehouden. Toen was Albert slechts het irritante aanhangsel van Rutger, iemand met wie ze om moest gaan omdat het nu eenmaal de beste vriend van haar aanstaande man was, maar wiens gezelschap ze zelf nooit zou zoeken. Naast Albert bleek Brian eveneens een rots in de branding. Ook hij stond regelmatig op de stoep om Eva te helpen een paar lange, eenzame uren door te komen. Het was zelfs al eens voorgekomen dat de twee mannen gelijktijdig onverwachts arriveerden en ze ruzie begonnen te maken over wie Eva die dag mee uit mocht nemen.

„Eva's twee aanbidders," gierde Mieke tijdens een van hun vriendinnenavondjes. Eva had net op humoristische wijze verteld wat er gebeurd was. „Hoe is het afgelopen? Met wie ben je uiteindelijk weggegaan?"

„Met allebei," grijnsde Eva. „Het was koopzondag en ik had me voorgenomen om mijn garderobe uit te breiden. Ze wilden me allebei per se vergezellen toen ik dat zei, dus zijn ze met zijn tweeën achter me aangehobbeld. Erg handig, moet ik zeggen, want ik heb behoorlijk veel gekocht en hoefde zelf niets te sjouwen."

„De rol van de man teruggebracht tot pakezel," zei Carola laconiek.

„Later zijn we met zijn drieën uit eten gegaan," vertelde Eva verder. „En toen kregen ze ruzie over wie er mocht betalen."

„Typisch haantjesgedrag," wist Janet. „Ze dingen allebei naar je gunsten, Eef. Maak er gebruik van, zou ik zeggen."

„En dat zeg jij, de mannenhaatster?" deed Viola nu een duit in het zakje. Ze trok haar wenkbrauwen hoog op.

„Ik haat mannen niet, ik hoef alleen zelf niet zo nodig een relatie," verbeterde Janet haar. „Maar daarom kunnen ze nog wel handig zijn."

„Het is in ieder geval wel duidelijk dat ze allebei zwaar verliefd op je zijn," zei Mieke. „Ja, wat kijken jullie nu naar me? Daar zeg ik toch niets verkeerd mee? Ze hebben zich allebei opgeworpen als steun en toeverlaat, dat doen ze heus niet voor niets. Je kunt kiezen, Eva."

„Ik moet er niet aan denken," weerde Eva af. Toch kon ze niet verhinderen dat er een blos over haar wangen trok, iets wat Mieke natuurlijk direct opviel.

„Hm, daar ben ik niet zo zeker van," zei ze dan ook. „Vertel op, wie staat er bovenaan je lijstje? Je hoeft je voor ons niet te generen, hoor."

„Zeg, hou op. Rutger is net een paar maanden dood," zei Eva kortaf.

„En jij leeft," weerlegde Mieke kalm. „Je dient er niemand mee als je in een hoekje blijft zitten treuren. Wat ik hiermee bedoel te zeggen, is dat je je niet schuldig hoeft te voelen ten opzichte van hem als je een andere relatie aangaat."

„Daar heb ik nog geen behoefte aan."

„Oké, dat kan. Maar je moet het niet laten omdat je denkt dat het niet mag. Er staat geen vaste periode voor rouwverwerking. De één is na jaren nog niet toe aan een nieuwe relatie, de ander is er na een halfjaar alweer rijp voor. Het scheelt natuurlijk ook of je jaren getrouwd bent geweest of elkaar slechts een paar maanden kende, zoals jij en Rutger."

„Ik kende Rutger al vanaf mijn zestiende."

„Dat is niet te vergelijken," mengde Viola zich nu in het gesprek. „Die periode was afgesloten, dat heb je zelf gezegd. Je was opnieuw begonnen met hem, niet verder gegaan waar het jaren geleden gestopt was."

Eva draaide zwijgend haar hoofd af. Ze kon niet uitleggen dat de band die Rutger en zij hadden, zich veel verder uitstrekte dan slechts een tienerverliefdheid. Door haar zwangerschap was ze zich altijd met hem verbonden blijven voelen, ook al had ze het dan af laten breken. Onbewust had Rutger altijd een rol in haar leven gespeeld hierdoor.

„Het lijkt wel of jullie me per se zo snel mogelijk in de armen van een ander willen zien," merkte ze stroef op.

113

„We willen alleen maar dat je gelukkig bent," zei Mieke op warme toon. „Natuurlijk moet je helemaal zelf bepalen hoe en wanneer, maar ik krijg een beetje het idee dat je denkt dat je het aan Rutger verplicht bent om andere mannen op een afstand te houden. Volgens mij ben je allang bezig om verliefd te worden, maar wil je het niet toegeven omdat je vindt dat het nog te kort geleden is. Je denkt dat het niet mag."

„We veranderen niet allemaal zo snel en makkelijk van vriend als jij," merkte Eva op.

„Zou je wel moeten doen, dat maakt het leven een stuk aangenamer," lachte Mieke, niet in het minst beledigd. „Het leven is veel te kort om te treuren, geniet ervan."

„Laten we het even ergens anders over hebben," zei Viola met een waarschuwende blik op Mieke. Ze was het volkomen met haar eens, maar wilde Eva niet het gevoel geven dat ze in een hoek gedreven werd. Ze klopte op haar omvangrijke, inmiddels ruim acht maanden zwangere buik. „Ik krijg morgen een echo om de omvang van het hoofdje op te meten, omdat de baby in stuitligging ligt. Ze willen zeker weten dat hij of zij door mijn bekken heen kan. Andreas heeft echter een vergadering die hij onmogelijk kan missen en ik vind het een beetje eng om alleen te gaan. Kan een van jullie met me mee? Ik heb een afspraak om kwart voor vijf."

„Dan kan ik wel," bood Eva onmiddellijk aan. Met haar achtergrond stond ze weliswaar niet te springen om Viola te begeleiden naar een dergelijke afspraak, maar de gelegenheid om van gespreksonderwerp te veranderen greep ze met beide handen aan. Bovendien moest ze er toch een keer doorheen. Als de baby straks geboren was, kon ze hem of haar ook niet ontwijken, realiseerde ze zich. Wellicht was het juist wel goed voor haar om de baby op het beeldscherm te bekijken, dan had ze dat vast gehad.

„Fijn. Kom je me dan ophalen? Ik pas zelf niet meer achter het stuur."

„Aha, vandaar dat er iemand mee moet," plaagde Janet haar. „Je hebt gewoon geen zin om jezelf in de bus te hijsen."

114

„Meid, kon ik dat nog maar," grijnsde Viola terug. „Ik voel me net zo'n tuimelaar af en toe. Ik zal blij zijn als ik van dit vrachtje verlost ben. Om het kwartier moet ik plassen, ik heb last van brandend maagzuur en die buik zit bij alles in de weg. Zelfs het knippen van mijn teennagels kan ik niet meer zelf."

„Wacht maar, als hij je eenmaal iedere nacht drie keer wakker brult, verlang je hier naar terug," voorspelde Carola met enig leedvermaak in haar stem.

„Dan schop ik Andreas het bed uit." Met moeite hees Viola zich overeind om, voor de zoveelste keer die avond, naar het toilet te gaan.

„Zal ik je nu dan ook maar thuisbrengen?" bood Eva lachend aan. Ze hadden de avond doorgebracht bij Carola thuis en hoewel de woning van Viola voor haar een heel eind uit de route lag, vond ze het niet erg om een stuk om te rijden. „Dan hoeft Andreas niet speciaal voor taxichauffeur te spelen."

„Graag. Eerst nog even plassen."

Even later liepen ze de drie trappen af die naar de begane grond voerden. Viola leunde zwaar op Eva en klaagde over het feit dat er geen lift aanwezig was.

„Onze volgende vriendinnenavond zullen we speciaal voor jou bij Janet houden, die heeft wel een lift," lachte Eva. „Of, nog beter waarschijnlijk, bij jou thuis."

„Op onze volgende avond hoop ik bevallen te zijn," reageerde Viola nuchter. „Mijn uitgerekende datum is over iets meer dan twee weken, dus het kan eigenlijk ieder moment gebeuren."

„Zie je ertegen op?"

„Ik sta niet te juichen bij het idee van de pijn die me te wachten staat, maar ik zal wel blij zijn als het zover is. Ik kan haast niet meer wachten om mijn eigen kind in mijn armen te kunnen houden. Dat is het beroemde oergevoel, denk ik." Viola grinnikte. „Nooit gedacht dat ik dat nog eens mee zou maken. Echt Eef, je hebt geen idee hoe het voelt als je eigen kind in je lijf beweegt. Dat is nergens anders mee te vergelijken."

Ik had het kunnen weten, dacht Eva verdrietig bij zichzelf. Maar zoals gewoonlijk hield ze deze gedachte voor zich.

„Zo oudje," zei ze in plaats daarvan luchtig. „Je bent veilig beneden aangekomen. Mijn auto staat daar, naast dat busje." Ze liep er vast naartoe om het portier voor Viola te openen, maar er wachtte haar een nare verrassing. Alle vier de banden van haar autootje bleken lek te zijn. Perplex bleef ze staan. „Kijk nou eens!" riep ze uit. „Hoe kan dit?"

„Dat is met opzet gedaan," zag Viola meteen. „Kijk maar, ze zijn lek gestoken. Waarschijnlijk door een groepje jongeren dat zich verveelde of zo." Ze keek om zich heen, maar moest constateren dat er voor de rest geen vernielingen waren aangebracht aan andere auto's.

„Dit is iets persoonlijks geweest," zei Eva dan ook langzaam. „Kijk maar, voor de rest is er niets aan de hand. Ze hadden het duidelijk op mijn auto voorzien."

„Het kan natuurlijk ook zo zijn dat ze gestoord werden voor ze aan de volgende auto wilden beginnen en ervandoor zijn gegaan," veronderstelde Viola.

„Alles kan, maar ik voel me hier toch niet prettig bij. Het voelt in ieder geval als een persoonlijke aanval." Moedeloos liep Eva om haar auto heen. „Wat moet ik nou?"

„Bel Brian en doe aangifte. Je hebt best kans dat er vanavond meerdere wagens zijn beschadigd hier in de buurt. Wellicht hebben ze de daders zelfs al."

Eva toetste zijn nummer in, maar zowel op zijn huistelefoon als op zijn mobiele nummer had ze geen succes. Waarschijnlijk was hij aan het werk, dan stond zijn mobiel altijd uit. Vervolgens belde ze Albert, die geschrokken reageerde en beloofde dat hij er meteen aan kwam. In afwachting van zijn komst namen ze plaats op de brede rand van een betonnen plantenbak, want Viola zag het niet zitten om alle drie de trappen weer op te moeten lopen.

„Trek het je niet te erg aan," zei ze met een blik op het witte gezicht van haar vriendin. „Hoe vervelend het ook is, dergelijke vernielingen zijn tegenwoordig aan de orde van de dag. Iedereen krijgt er vroeg of laat mee te maken."

„Dit is geen gewone vernieling, volgens mij. Kijk om je heen, er staan hier tientallen auto's en alleen de mijne is beschadigd. Alle vier mijn banden zijn bewust en met kracht lek gestoken, alsof iemand me vreselijk haat." Ze huiverde.

„Wie moet er nou een hekel aan jou hebben? Zo'n hekel dat hij dit doet? Nee Eef, je ziet spoken," zei Viola beslist. „Het is pure willekeur geweest, geloof dat nou maar. Sommige mensen, vooral jongeren, vinden het nu eenmaal leuk om vernielingen aan te richten, hoe bizar dat ook is. Ze hebben er gewoon één auto uitgepikt en dat was toevallig de jouwe. Het had net zo goed die van Janet of Carola kunnen zijn, of van een wildvreemde."

Eva wilde het graag geloven, maar liet zich niet helemaal overtuigen door Viola's geruststellende woorden. Het leek of er een ijskoude hand om haar hart werd gelegd. Bij ieder geluidje dat ze hoorde keek ze angstig om zich heen en ze was blij toen ze Alberts vertrouwde verschijning aan zag komen.

„Dit is met opzet gedaan," constateerde ook hij. „Heb je enig idee wie het op je gemunt kan hebben, Eva?"

„Als ik zou weten dat ik vijanden heb die hiertoe in staat zijn, zou ik mijn huis niet meer uit durven," zei Eva somber. „Viola denkt dat er gewoon willekeurig een auto uitgekozen is."

„Hm, het zou natuurlijk kunnen, maar kijk voorlopig toch maar extra goed uit. Kom, ik zal jullie thuisbrengen. Maak je niet druk om die banden, ik ken wel iemand die dat voor je regelt. Morgenmiddag heb je hem weer terug met vier nieuwe banden eromheen," beloofde Albert haar.

Hij bracht eerst Viola thuis en zette toen koers naar Eva's huis. „Ik loop even met je mee," zei hij kort zodra ze daar aangekomen waren. „Ik wil zeker weten dat alles in orde is." Met een onbehaaglijk gevoel overhandigde Eva hem haar huissleutel en met wild kloppend hart volgde ze hem naar binnen. Daar was gelukkig niets aan de hand. Het slot was niet geforceerd, alle ramen waren intact en binnen was alles precies zoals ze het eerder die dag had achtergelaten. Albert inspecteerde alles grondig.

„Misschien is het ook wat overdreven, maar een mens kan niet voorzichtig genoeg zijn," zei hij. „Je moet hier overigens wel aangifte van doen."

„Ik heb al naar Brian gebeld, maar hij nam niet op," vertelde Eva.

Bevreemd keek hij haar aan. „Wat heeft Brian hiermee te maken?" vroeg hij met hoog opgetrokken wenkbrauwen.

„Hij werkt bij de politie, wist je dat niet? Enfin, ik ga morgen in mijn lunchpauze wel even langs het bureau. Bedankt voor je hulp, Albert. Wil je nog iets drinken?"

„Nee, dank je. Ik was mijn administratie aan het bijwerken toen je belde, daar wil ik nog even mee verder. Welterusten, Eva. Ik bel je morgen over je auto."

Met haastige passen liep hij weg en Eva sloot verbouwereerd de deur achter hem. Wat had hij ineens een haast. Normaal gesproken was Albert altijd wel in voor een drankje en een goed gesprek. Zou hij soms beledigd zijn omdat ze eerst naar Brian had gebeld, vroeg Eva zich peinzend af. Maar dat zou wel erg kinderachtig zijn. Wel jammer dat hij niet even was gebleven, want ze voelde zich niet echt veilig, ondanks zijn grondige inspectie. De aanval op haar auto voelde aan als een persoonlijke bedreiging. In gedachten liet ze iedereen die ze kende de revue passeren, maar ze kon niemand bedenken die haar zoiets aan zou doen. Waarschijnlijk had Viola gelijk en was het niet speciaal tegen haar gericht.

Ondanks die gedachte kon ze de slaap niet vatten die nacht. Bij ieder geluid spitste ze haar oren en wachtte ze gespannen af of er iets zou gebeuren. Op een gegeven moment hield ze het in bed niet langer uit en besloot ze op te staan. Een week eerder had de uitzending plaats gevonden van de talkshow waar ze aan mee had gedaan, maar omdat er die avond een belangrijk concours was geweest had ze het niet gezien. Ze had het programma wel opgenomen en schoof nu de videoband in de recorder in een poging wat afleiding te vinden.

Levensgroot zag ze haar eigen gezicht op het televisiescherm verschijnen, wat ze altijd weer een vreemde gewaarwording vond. Dankzij haar column was ze vaker opgetreden in radio- en televisieprogramma's, maar ze bleef het raar vinden om zichzelf terug te zien. Zeker dit keer, omdat er door technische problemen een aantal maanden tussen de opnames en de uitzending had gezeten.

Toen leefde Rutger nog, schoot het ineens door haar hoofd. De avond van de opnames had hij haar bij de studio opgehaald en diezelfde avond hadden ze hun eerste toekomstplannen gemaakt. De tranen schoten in haar ogen bij de herinnering en het lukte haar niet meer om zich op het programma te concentreren. Dit waren de moeilijkste momenten, als de herinneringen onstuitbaar op haar af kwamen, zonder dat ze ze kon stoppen. Rusteloos ijsbeerde ze door haar huiskamer, wensend dat Albert bij haar gebleven was en ze nu niet alleen was.

HOOFDSTUK 12

„Ik ben bang dat een normale bevalling niet gaat lukken."
De gynaecoloog, Michel Veenstra, keek Viola over zijn bril
heen aan. Viola kneep hard in Eva's hand. „U heeft een vrij
nauw bekken en de kans is groot dat het hoofdje van de
baby er niet goed doorheen kan. Zoals u weet ligt uw kindje in een stuit, dus het hoofdje wordt als laatste geboren.
Zodra de beentjes eruit zijn, is het zaak dat de rest heel snel
volgt, dus als het hoofdje klem komt te zitten, ontstaat er
een fatale situatie."
„Het wordt dus een keizersnee?" vroeg Viola benepen.
Michel knikte. „Dat is het verstandigste, ja. Kijk, u kunt het
hier zelf zien." Hij wees naar het beeldscherm om aan te wijzen waar zijn advies op gebaseerd was. Viola keek aandachtig mee, maar Eva hield haar ogen krampachtig gesloten. Ze wilde de baby niet zien, dat benauwde haar.
Vertwijfeld vroeg ze zich af hoe dat moest gaan als het kindje eenmaal geboren was. Viola was haar beste vriendin, ze
wilde haar niet kwijt omdat ze het niet aankon om met haar
baby geconfronteerd te worden. Op de een of andere
manier moest ze leren daarmee om te gaan, al had ze op dat
moment geen flauw benul hoe ze dat aan moest pakken. Het
leek wel of haar keel werd dichtgeknepen. In plaats van de
spreekkamer van de gynaecoloog zag ze de behandelkamer
van de abortuskliniek voor zich. Alsof het gisteren gebeurd
was in plaats van dertien jaar geleden.
Viola stootte haar aan. Ze was zo op het scherm gefixeerd
dat ze niet eens doorhad dat Eva niet met haar meekeek.
„Mooi, hè? Wat is het toch leuk om je ongeboren kind al zo
duidelijk te kunnen zien. Hoe vind je het, Eva?"
„Prachtig," piepte Eva met moeite. Snel veegde ze een traan
uit haar ooghoek, een gebaar dat Viola totaal verkeerd
opvatte.
„Ja, het is ontroerend," knikte ze terwijl ze even in Eva's
hand kneep. „Niet wanhopen, lieverd. Jij gaat dit ook een
keer meemaken, dat weet ik zeker. En tot die tijd kun je

mooi oefenen op deze baby, tenslotte word jij ook een beetje zijn of haar moeder."

Eva's hart trok pijnlijk samen. Viola bedoelde het zo lief, ze
had geen flauw benul hoezeer ze haar kwetste.

Met een afspraak voor de keizersnee in haar agenda en het
dringende advies van Michel Veenstra dat Viola onmiddellijk naar het ziekenhuis moest komen als haar weeën begonnen of er andere tekenen waren dat de bevalling in zou zetten, verlieten ze even later het ziekenhuis.

„Nu wil ik eerst koffie," zei Viola terwijl ze Eva meetrok
naar de koffiehoek in de centrale hal. „Ik sta gewoon te bib-
beren op mijn benen. Natuurlijk had ik er wel rekening mee
gehouden dat een natuurlijke bevalling niet mogelijk zou
zijn, maar het valt me toch rauw op mijn dak." Peinzend
staarde ze in haar agenda. „Volgende week woensdag. Gek
hè, dat ik zo precies weet wanneer mijn kind geboren
wordt. Dat is een onwerkelijk idee."

„Wel handig. Nu kun je er rekening mee houden en je andere afspraken erop afstemmen," zei Eva luchtig. Ze probeerde zo normaal mogelijk te doen, maar hoorde zelf hoe geforceerd ze klonk. „Heb je alles al klaar?"

„O jee, al weken," grinnikte Viola. „Wat me overigens niet
belet om spullen te blijven kopen, hoor. Ik geloof dat ik al
voor een jaar kleertjes in huis heb, in alle mogelijke maten.
Vanochtend heb ik nog twee schattige truitjes en een win-
terjasje gekocht. Niet dat ik ze nodig had, maar ik kon het
gewoon niet laten hangen. Het is maar goed dat Andreas en
ik een behoorlijk salaris verdienen, anders werd deze baby
onze financiële ondergang. Jij gaat toch zo wel met me mee
naar huis? Dan kun je alles zien."

„Ik eh… Ik weet niet," hakkelde Eva. Eigenlijk wilde ze het
liefst gewoon naar haar eigen huis en net doen of deze hele
baby niet bestond, maar ze wist zo snel geen smoes te verzinnen.

„Ik heb met eten op je gerekend. Andreas komt pas heel laat
thuis vanavond en je kunt een arme, hoogzwangere vrouw
niet alleen laten," lachte Viola.

„Goed dan," stemde Eva met een zwaar hart toe. Dat werd dus nog urenlang net doen of er niets aan de hand was, gezellig kletsen over een baby en plichtmatig de hele uitzet bewonderen, dacht ze moedeloos bij zichzelf. Maar ze kon het niet maken om te weigeren.

„Wat eten we?" vroeg ze in plaats daarvan.

„Macaroni met sla en ijs toe. Ik heb alles al klaarstaan, het hoeft alleen maar opgewarmd te worden. Zullen we gaan?" Met moeite kwam Viola overeind.

Eenmaal bij haar thuis trok ze Eva meteen mee naar de babykamer. Het vertrek, dat altijd dienst had gedaan als rommelkamer, had een complete metamorfose ondergaan, ontdekte Eva. Het was een licht, zonnig kamertje geworden, met kasten die inderdaad uitpuilden van de kleertjes, luiers, slabbetjes en spuugdoekjes. Eva had moeite om haar tranen te bedwingen terwijl ze al dat kleine spul door haar handen liet glijden. Het had maar zo weinig gescheeld of ze had dat zelf allemaal ook nodig gehad indertijd. Wat moest het heerlijk zijn om met zoveel liefde een uitzet samen te stellen, als je je oprecht kon verheugen op de komst van je kindje. Het was zo'n schrijnende tegenstelling met wat ze zelf had meegemaakt.

„Ik zie wel heel erg tegen die operatie op," bekende Viola na het eten. Eva had de boel afgewassen en koffiegezet en nu zaten ze als vanouds samen op de bank, zoals vroeger zo vaak voorgekomen was. Sinds Viola Andreas had leren kennen, gebeurde het nog maar zelden dat de twee vriendinnen samen waren. Meestal waren er anderen bij als ze elkaar zagen. De rest van hun vriendinnenclubje, leden van de band of Andreas. Viola roerde gedachteloos door haar koffie. „Het is toch iets heel anders dan gewoon bevallen."

„Ook minder pijnlijk," reageerde Eva.

„Nou," betwijfelde Viola. „Zo'n operatiewond is ook geen sinecure."

„Dat is te bestrijden met pijnstillers, weeën niet. Vierentwintig uur lang felle weeën opvangen is tenslotte ook geen pretje. Ik denk zelfs dat veel vrouwen je zullen benijden," voorspelde Eva.

„Onzin. Een bevalling hoort pijn te doen, dat is iets natuurlijks waar je je negen maanden lang op voorbereidt. Een operatie niet. Bovendien moet ik nu natuurlijk veel langer in het ziekenhuis blijven dan mijn bedoeling was. Ik had gehoopt om na de bevalling meteen lekker naar huis te gaan." Somber staarde ze voor zich uit.

„Ja, hoor eens, de feiten liggen nu eenmaal zo," reageerde Eva enigszins ongeduldig. „Wat heb je nu liever? Een gewone bevalling die slecht afloopt of een geplande keizersnee met een gezond kind als resultaat?"

„Natuurlijk kies ik dan voor het laatste," antwoordde Viola onmiddellijk. „Maar dat wil niet zeggen dat dit leuk is. Het is toch een klap als je te horen krijgt dat je geopereerd moet worden."

„Het is pas echt een klap als je te horen krijgt dat je kind de bevalling niet heeft overleefd," zei Eva hard. „Je zeurt om niets. Wees blij dat er zoiets bestaat als een keizersnee, anders had je pas echt een probleem gehad." Ze wond zich steeds meer op. Viola had geen enkel besef hoe rijk ze was met haar man en aanstaande kindje, dacht ze nijdig bij zichzelf. Wat maakte het nou uit hoe dat kind geboren werd? Als het maar gezond was en in liefde ontvangen werd. „Een keizersnee is in ieder geval een stuk beter dan een abortus," gooide ze er uit.

„Waar slaat dat nou weer op?" Viola zette haar beker met een klap neer en keek haar vriendin onderzoekend aan. „Wat heb jij ineens en wat is dat voor onzinnige opmerking?"

„Niets," zei Eva afwerend. Ze staarde stuurs de andere kant op. „Laat maar."

„Ik laat helemaal niets. Vertel op," eiste Viola. Ze pakte Eva bij haar schouders en dwong haar zo om haar aan te kijken. „Wat heeft een abortus hiermee te maken? Heb jij…?" Ze stokte, maar Eva's verdrietige ogen en bleke gezicht verraadden het antwoord al. Viola sloeg geschrokken een hand voor haar mond. „O nee! Wat erg voor je. Wanneer?"

Er brak iets in Eva bij deze meelevende reactie. Eindelijk, na al die jaren, brokkelde de muur af die dat deel van haar leven zorgvuldig beschermd had.

„Dertien jaar geleden," zei ze moeizaam.

Ze verborg haar gezicht in haar handen en begon hartverscheurend te huilen om datgene wat ze zichzelf ontnomen had en nooit meer terug zou krijgen. Viola liet haar rustig uithuilen, al werkten haar hersens op volle toeren. Dertien jaar geleden, dat was toen ze net zo'n beetje van de middelbare school afgingen, rekende ze snel uit. Zij beleefde toen een hele moeilijke periode met haar doodzieke moeder en Eva verbrak de verkering met Rutger, waarna ze allebei naar een andere stad gingen om te studeren. Hun contact verliep in die tijd voornamelijk via de telefoon en verwaterde zelfs enigszins.

„Was het van Rutger?" vroeg ze toen het snikken naast haar eindelijk bedaarde.

„Natuurlijk was het van Rutger," antwoordde Eva ongeduldig. Ze boende met een zakdoek over haar gezicht. Nu er eenmaal een opening was, was ze niet meer te houden. Alles kwam eruit. Haar twijfels over haar relatie, de reactie van Rutger toen ze hem vertelde dat ze zwanger was, zijn criminele gedrag dat haar had doen besluiten de omgang te verbreken en uiteindelijk de enorm zware beslissing om de zwangerschap af te laten breken. „Ik zag geen andere mogelijkheid meer. In mijn eentje had ik het niet gered, bovendien wilde ik mijn kind niet opzadelen met een vader die het niet zo nauw nam."

„Je hoeft geen excuses aan te voeren," zei Viola warm. „Natuurlijk neem je zo'n besluit niet lichtvaardig en je hoeft echt niet bang te zijn dat ik je zal veroordelen. Ik vind het alleen erg dat je me niet in vertrouwen genomen hebt, ik had je graag willen helpen."

„Jij had wel iets anders aan je hoofd met je moeder. Ik wilde trouwens geen hulp, dit was een beslissing die ik helemaal alleen moest nemen, zonder beïnvloeding van wie dan ook.

124

Het was al moeilijk genoeg zonder goedbedoelde en tegen-strijdige adviezen van andere mensen. Het moest mijn keuze zijn."

„Bedoel je dat je er helemaal alleen voor stond?" vroeg Viola met grote ogen. „Wat zul je het zwaar gehad hebben. En je ouders dan?"

Eva lachte bitter. „Die hebben het me altijd kwalijk geno-men. Na de abortus heb ik ze alles verteld in de hoop op wat medeleven en begrip, maar het enige wat ik kreeg waren verwijten. Hoe ik zo stom had kunnen zijn om zwanger te raken terwijl ik goed voorgelicht was, hoe ik me in vredes-naam in had kunnen laten met een jongen waarvan zij altijd al hadden gezegd dat hij niet goed genoeg voor me was en, last but not least, hoe ik zo onverantwoordelijk met een ongeboren leven om had kunnen springen. Ze vonden dat ik de weg van de minste weerstand had gekozen en konden totaal geen begrip, laat staan respect, opbrengen voor mijn keuze. In de tijd die volgde lieten ze me voortdurend mer-ken dat ze zwaar teleurgesteld in me waren."

Viola schudde haar hoofd. „Onbegrijpelijk. Natuurlijk heb ik wel gemerkt dat je verhouding met je ouders nou niet bepaald optimaal was, maar ik heb nooit kunnen vermoe-den dat dit eraan ten grondslag lag. Geen wonder dat je zoveel psychische problemen kreeg, te veel at en een min-derwaardigheidscomplex ontwikkelde. Had ik het maar geweten."

„Over het algemeen kan ik er goed mee omgaan," zei Eva. „Soms heb ik er natuurlijk nog moeite mee, maar meestal kan ik het goed van me afzetten. Spijt heb ik ook nooit echt gehad, omdat het een zeer doordachte beslissing is geweest. Alleen de laatste tijd…" Ze haperde even en veegde snel een traan uit haar ooghoek. „De kans om ooit nog een kind met Rutger samen te krijgen is nu definitief verkeken en dat brengt een heleboel herinneringen terug. Je weet hoe graag ik zelf een gezin wil hebben en dat zit er voorlopig niet in. Ik ben weer helemaal terug bij af, terwijl ik er zo dichtbij was."

„Volgens mij heb je daar meer verdriet van dan van het feit

dat Rutger er niet meer is," merkte Viola voorzichtig op.

„Ik hield van Rutger," zei Eva afwerend.

„Daar twijfel ik niet aan, maar ik heb vaker de indruk gekregen dat je vooral gelukkig met hem was omdat hij je wensen kon realiseren. Je hebt altijd graag een man en een paar kinderen gewild en met Rutger lag dat binnen je bereik. Het feit dat jullie samen een verleden deelden, gaf een extra dimensie aan jullie relatie. Toen je pas weer met hem omging heb ik dat ook gezegd, weet je nog? Eerlijk gezegd heb ik nooit het gevoel gehad dat Rutger echt de liefde van je leven was." Het bleef lange tijd stil na deze woorden. Eva dacht lang en diep na voor ze een reactie gaf.

„Misschien heb je gelijk," gaf ze toen toe. „Eigenlijk heb ik mezelf ook wel eens op die gedachte betrapt, vooral omdat ik nu al, een paar maanden na zijn dood, merk dat ik alweer gevoelens aan het ontwikkelen ben voor een ander. Ik durf ze alleen niet toe te laten omdat ik het te vroeg vind, maar het heeft me wel aan het denken gezet."

„Albert of Brian?" viste Viola nieuwsgierig.

„Albert." Eva lachte verlegen. „In het begin vond ik hem een enorme kwal en een slijmbal, dus ik sta er zelf ook verbaasd over. Ik merk echter dat ik graag in zijn gezelschap ben."

„Pas maar op en stort jezelf niet te snel in een nieuwe relatie," waarschuwde Viola.

„Gisteren zeiden jullie anders het tegenovergestelde."

„We zeiden dat je het leven weer op moest pakken en jezelf toe moet staan om te genieten, niet dat je je onmiddellijk aan een ander moet binden. Kijk uit dat je niet in dezelfde valkuil trapt, Eef. Klamp je niet te snel aan een man vast omdat je denkt dat je droom daarmee uitkomt."

„Ik begrijp wat je bedoelt, maar voorlopig laat ik alles maar over me heen komen en zie ik wel waar dat toe leidt." Eva zuchtte diep. „In ieder geval voel ik me een stuk beter nu ik alles aan je verteld heb. Ik had nooit gedacht dat het opbiechten van de waarheid zo'n gevoel van opluchting zou geven. Dank je wel."

„Niets te danken. Wat mij betreft ben je hier dertien jaar te

126

laat mee," zei Viola nuchter. „Ik heb hele brede schouders, meid, als je ze wilt gebruiken kom je maar."

„Dat zal voorlopig vast niet nodig zijn. Op dit moment voel ik me echt van een last bevrijd. Zal ik je eens wat zeggen? Ik verheug me nu zelfs op jouw baby, hoewel ik daar vanmiddag nog vreselijk tegen opzag. Ik durfde niet eens naar die echo te kijken omdat ik de confrontatie niet aandurfde. Dat gevoel is nu weg, ik kan zelfs bijna niet wachten om de baby in mijn armen te hebben."

„Mooi, dan ben je precies op tijd." Viola vertrok haar gezicht in een grimas. „Volgens mij zijn namelijk de weeën begonnen."

Drie kwartier later arriveerden ze in het ziekenhuis, waar Viola meteen werd aangesloten op een apparaat dat de weeënactiviteit en de hartslag van de baby registreerde.

„Je bevalling is inderdaad begonnen," meldde de dienstdoende gynaecoloog. „En ik zie in je status dat er een keizersnede gepland stond vanwege een te nauw bekken. Die wordt dus duidelijk eerder dan gepland. Zenuwachtig?"

„Valt wel mee. Mijn man is onderweg hierheen. Jullie wachten toch wel tot hij er is?" wilde Viola weten.

„Maak je geen zorgen. Je hebt nog nauwelijks ontsluiting, dus we hoeven niet à la minute in te grijpen. Ik denk dat je over een halfuurtje gehaald wordt," stelde hij haar gerust.

„Nou, daar zitten we dan." Viola giechelde zenuwachtig toen de gynaecoloog de kamer verlaten had. „Het is wel een dag vol emoties. Moet jij trouwens niet naar huis?" Ze keek er echter bij alsof ze Eva desnoods met geweld hier wilde houden en die schoot in de lach.

„Ik zou niet durven, er ligt zo'n bloeddorstige blik in je ogen. Nee hoor, ik blijf in ieder geval hier tot de baby geboren is. Ik wilde de eerste zijn die hem of haar ziet, op jullie na dan."

„Was Andreas maar hier," wenste Viola.

Haar wens werd onmiddellijk vervuld. De deur van de kamer vloog open en een verwilderde Andreas stormde naar binnen.

„Is de baby er al? Ben ik nog op tijd?" vroeg hij ademloos.

„De operatie moet nog beginnen," stelde Eva hem gerust.

„Gelukkig." Met een plof zakte hij op de stoel naast Viola's bed. „Ik ben me wild geschrokken van je telefoontje. De hele tent was meteen in rep en roer, want ik ben zo van die vergadertafel weggelopen. Enfin, ik heb het gered. Hoe voel je je?"

„Fijn dat je daar nog even naar vraagt," reageerde Viola op droge toon. „De weeën vallen nog wel mee, maar het wordt wel heel erg spannend nu. Het is een vreemd idee dat we binnen nu en een uur ons kind hebben."

„Vreemd, maar mooi."

Andreas pakte haar hand en hun ogen vonden elkaar in een intense blik, iets wat Eva met een brok in haar keel zag. Dit wilde zij ook! Verbonden zijn met een man, samen een kind op de wereld zetten... Waarom was dat voor haar niet weggelegd? Haastig stond ze op.

„Ik laat jullie alleen. Viool, ik wacht in de gang tot de baby er is. Sterkte meid."

„Gaat het?" vroeg Viola met een bezorgde blik op haar vriendin.

„Natuurlijk," lachte Eva geforceerd. „Jij bent hier de patiënt, hoor, niet ik. Tot straks."

Snel verdween ze de lange gang in, waar het op dit uur van de avond erg stil was. Uitgeput leunde ze tegen de witte muur. Het was inderdaad een dag vol emoties, toch piekerde ze er niet over om naar huis te gaan, hoe moe ze ook was. Het was juist wel prettig om hier in alle rust even alles te overdenken, ontdekte ze. Thuis had ze bijna altijd de televisie aanstaan, juist om die stilte te verdrijven, maar nu merkte ze dat het toch wel fijn kon zijn om niets te horen en overgeleverd te zijn aan je eigen gedachten. De knellende band die ze al een hele tijd om haar hoofd voelde, was verdwenen sinds ze haar verhaal aan Viola had gedaan. De opluchting over haar bekentenis overheerste nog steeds alle andere gevoelens en dat stemde haar blij. Het was zo'n gewoonte geworden om alles te verzwijgen dat ze er nooit bij stil had gestaan dat dit misschien niet zo verstandig was. Dertien jaar opgekropte gevoelens waren nu in één stroom naar buiten gekomen. Viola was een schat van een vriendin, dacht Eva dankbaar. Niet één verwijt was er over haar lippen gekomen, ze was alleen maar heel lief en begripvol geweest en had oprecht met haar meegeleefd. Eva was blij dat zij nu op haar beurt ook kon meeleven met Viola, in plaats van net te doen alsof, zoals de hele zwangerschap al het geval was. Ineens kon ze zich wél verheugen op de komende baby, zoals het een vriendin betaamde.

Ze zou een echte tante voor het kind worden, nam ze zich voor. Als ze dan toch geen moeder kon zijn, dan in ieder geval een hele lieve tweede moeder voor de kinderen van haar vriendinnen. Zo eentje waar ze allemaal graag naar toe gingen omdat er altijd wat lekkers en volop aandacht was.

Zo mijmerend en fantaserend had ze niet eens in de gaten dat de tijd verstreek en ze schrok op toen er een hand op haar schouder werd gelegd.

„We hebben een dochter," zei een zeer geëmotioneerde Andreas. „Een dochter, Eva, stel je voor! Ze is piepklein, maar helemaal volmaakt."

„Wat heerlijk. Gefeliciteerd." Eva zoende hem spontaan op allebei zijn wangen. „Hoe heet ze en hoe gaat het met Viola?"

„Caressa en prima," beantwoordde hij de beide vragen in één zin. „Ze ligt nu in de uitslaapkamer en daar moet ze nog minstens een uur blijven. Caressa moet voor de zekerheid nog een nachtje de couveuse in. Ga je mee naar haar kijken?"

„Niets liever." Eva pakte haar tas en jas en liep achter Andreas aan, die zich alweer door de lange gangen haastte. Hij kon duidelijk niet wachten om zijn dochtertje weer te zien.

„Kijk, daar ligt ze. Is het geen schoonheid?" zei hij even later enthousiast.

Aandachtig staarde Eva door het grote raam dat de gang scheidde van de couveusekamer, naar het kleine hoopje mens in het glazen kastje. Caressa was inderdaad een schitterende baby, Andreas had niet overdreven. Het kleine gezichtje werd omgeven door donkere krulletjes en de licht getinte huid, een erfenis van haar vader, vormde een mooi contrast met haar kersrode mondje.

„Wat een beauty," zei Eva spontaan.

Haar laatste restje twijfel verdween bij het kijken naar dit volmaakte wezentje. Ze was alleen maar blij en gelukkig met de goede afloop, zonder bittere gevoelens over wat ze zelf had meegemaakt. Haar eigen ongeboren kindje en deze baby kon ze los zien van elkaar, ontdekte ze opgelucht.

Met een licht gevoel in haar hart toog ze dan eindelijk richting huis. Het was inmiddels kwart over drie in de nacht en er brandde geen enkel licht meer in de flat waar ze woonde. Huiverend stak ze de sleutel in het slot. Het was goed te merken dat het einde van het jaar in aantocht was, het was behoorlijk koud buiten. Binnen ook, trouwens, constateerde ze even later. Vreemd, ze had haar verwarming toch altijd aanstaan. Zou hij kapot zijn? Ze drukte op de lichtschakelaar en knipperde heel even tegen het felle licht dat opeens in de kamer scheen. Meteen daarna hield ze haar adem in van schrik. De grote plant die gewoonlijk op haar salontafel stond, lag op de grond, met een grijze baksteen ernaast. De baksteen waarmee haar raam was ingegooid. Verbijsterd staarde ze naar het gat in het glas. De koude wind had vrij spel in haar kamer en zorgde ervoor dat haar gordijnen vrolijk rondwapperden en er enkele kleine spullen uit de vensterbank waren gevallen. Haar gelukkige stemming was in één klap verdwenen.

Wie had dit gedaan? En waarom? De kou trok langzaam op tot in haar botten bij het besef dat iemand het wel degelijk op haar gemunt had. Eerst die vier lek gestoken banden, nu een ingegooid raam. Dit was geen toeval meer.

HOOFDSTUK 13

„Het kan natuurlijk ook gewoon een kwajongensstreek zijn," zei Brian terwijl hij enkele notities maakte. Hoewel hij geen dienst had, was hij meteen gekomen na het telefoontje van Eva en hij stond nu in een haastig aangeschoten broek, een shirt met vlekken en een stoppelbaard voor haar. Een enorm verschil met Albert, kon Eva ondanks alles niet nalaten om te denken. Die zag er altijd uit om door een ringetje te halen, ongeacht het tijdstip of de omstandigheden. Brian liep er meestal bij alsof hij het eerste wat er voorhanden was gewoon had aangetrokken, zonder te letten op stijl of kleur. „Of iets wat per ongeluk gebeurd is, waarna de daders er van de schrik vandoor zijn gegaan."

„Op drie hoog? Dat betwijfel ik toch ten zeerste. Volgens mij is er bewust op mijn raam gemikt."

„Heb je al in de andere kamers gekeken of daar alles in orde is?" informeerde Brian.

Eva schudde haar hoofd. „Dat durfde ik niet. Sorry," bekende ze kleintjes.

„Daar hoef je je niet voor te verontschuldigen, zo vreemd is dat niet," zei Brian vriendelijk. „Ik kan me voorstellen dat je enorm geschrokken bent. Zal ik even voor je kijken?"

„Graag," knikte Eva.

Ze bleef midden in haar kamer staan terwijl hij de rest van het huis inspecteerde.

„Alles is in orde," meldde hij even later. Hij liep naar haar toe en wreef kalmerend over haar rug.

„Op dit na dan." Triest keek Eva om zich heen.

„Heb je iets van een plaat hout of zo? Dan timmer ik dat er voorlopig even voor, in afwachting van de glaszetter."

„Misschien in de berging, ik weet niet precies wat daar allemaal staat."

„Ik ga even kijken en jij zet ondertussen koffie," gebood Brian. Hij pakte haar kin en dwong haar zo om hem aan te kijken. „Maak je niet ongerust, het komt allemaal weer in orde. Het kan gewoon toeval zijn, weet je."

„Of niet." Eva huiverde en deed een stap naar achteren. „Koffie, zei je?"

„Ja, lekker sterk en lekker heet." Hij knikte haar warm toe. Een kwartier later had hij, bij gebrek aan hout, een stuk dik karton voor het raam bevestigd en zaten ze samen op de bank aan de koffie.

„Het wordt in ieder geval weer wat warmer hierbinnen," ontdekte Eva. „Hoewel ik het gevoel heb dat die kou nooit meer uit mijn lichaam zal trekken. Het is zo'n angstaanjagende ontdekking als je merkt dat iemand je kwaad wil doen."

„Heb je vijanden?" vroeg Brian terloops.

„Niet dat ik weet in ieder geval. Maar in toeval geloof ik niet meer nu er twee keer achter elkaar zoiets voorgevallen is. Iemand is bewust bezig om me te treiteren en dat is geen prettig gevoel."

„Wie zou dit in vredesnaam willen en kunnen doen? Denk eens goed na. Is er echt niemand van wie je zegt dat die het wel eens gedaan zou kunnen hebben?" drong Brian aan.

„Ik heb werkelijk geen flauw idee. Over het algemeen kan ik met iedereen goed opschieten, ik heb zelden ruzie en voor zover ik weet heb ik ook niemand iets aangedaan die op deze manier wraak zou willen nemen. Ik tast volledig in het duister wat dat betreft. Dat maakt het ook zo eng en beangstigend, dat je niet weet in welke hoek je het moet zoeken."

„Zijn er de laatste tijd nieuwe mensen in je leven gekomen, mensen die je nog niet lang en goed kent?"

„Op de band zijn wat nieuwe leden, maar daar heb ik nog amper een woord mee gewisseld. Alleen Albert en jij dus eigenlijk," antwoordde Eva met een klein lachje. „En ik zie jullie hier allebei niet voor aan."

„Albert is verliefd op je. Ik weet niet in hoeverre jij die gevoelens beantwoordt, maar een afgewezen man kan rare dingen doen," merkte Brian voorzichtig op.

Eva schudde echter beslist haar hoofd. „Albert doet dit soort dingen niet. Hij heeft er trouwens geen enkele reden voor."

„Bedoel je dat er meer tussen jullie is dan vriendschap?"
„Er is iets gaande," gaf Eva toe. „Al is het nog niet expliciet uitgesproken."
„Jammer," meende Brian luchtig.
„Waarom? Omdat je nu je verdachte kwijt bent?"
„Omdat ik anders graag een kansje bij je had willen wagen," zei Brian. Hij keek haar recht aan bij die woorden.
Eva sloeg verward haar ogen neer. „Sorry," mompelde ze.
„Het geeft niet, ik ben gewoon te laat. Laat het me in ieder geval weten als het toch niets wordt tussen jullie." Het klonk nonchalant, maar Eva hoorde heel goed de serieuze ondertoon in zijn stem en dat gaf haar een warm gevoel.
Zo had ze niemand en zo stonden ze in rijen voor haar deur, bedacht ze ondanks alles grinnikend. Dat was toch een prettig idee, hoe erg ze het ook vond om Brian pijn te moeten doen. Ze mocht hem heel erg graag.
„Dus Albert niet," constateerde hij nu. „Of hij moet het doen in de hoop dat jij je uit angst in zijn armen werpt."
„Zeg, je bent rechercheur, geen psycholoog," weerde Eva deze suggestie lachend af.
„Ik heb gekkere dingen meegemaakt tijdens mijn werk. Maar even alle gekheid op een stokje, Eva, kijk alsjeblieft goed uit wat je doet. Stort je niet overhaast in een relatie met iemand die je niet goed kent. Je hebt zelf meegemaakt waar dat toe kan leiden."
„Je bedoelt Rutger, maar ik ben er inmiddels wel achter dat je dergelijke dingen nooit kunt voorzien, hoe lang je iemand ook kent. Met Rutger ben ik opgegroeid, ik meende hem beter te kennen dan wie dan ook en toch liet hij me achter met tientallen raadsels."
„Daarom juist. Ik zou niet graag zien dat je nog een keer gekwetst wordt."
Eva keek hem achterdochtig aan. „Weet jij soms iets wat ik niet weet? Iets met betrekking tot Albert?"
„Ik vertrouw hem niet zo erg," bekende Brian. „Waarschijnlijk mag ik dit niet zeggen en wellicht wil je het ook niet

horen, maar ik vind het vreemd dat hij, als boezemvriend van Rutger, niet meer over hem wist."

„Ik wist ook niets, dat is achteraf wel gebleken. En ik was met hem verloofd."

„Jullie gingen pas weer een paar maanden met elkaar om terwijl Albert en Rutger jarenlang met elkaar optrokken en zelfs zakenpartners waren. Ik wil niets impliceren, Eva, maar pas alsjeblieft op met wat je doet. Zeker nu."

„Zouden deze pesterijen iets te maken kunnen hebben met Rutgers plotselinge dood?"

„Waarom denk je dat?" antwoordde hij met een tegenvraag. Eva schokte met haar schouders. „Ik weet het niet, de gedachte kwam zomaar bij me op. Er zijn zoveel vragen waar niemand het antwoord op weet. Ik heb van het begin af aan het gevoel gehad dat er meer aan de hand was. Het gaat er bij mij nog steeds niet in dat Rutger zelfmoord heeft gepleegd terwijl wij op het punt van trouwen stonden. Ik zal dat nooit geloven zolang ik geen aannemelijke verklaring krijg."

„Je schiet niets op met veronderstellingen, we moeten uitgaan van de feiten," sprak Brian rationeel. „De feiten spreken voor zich, Eva."

„Dat zeggen mijn hersens ook, maar mijn gevoel niet. Enfin, ik denk dat ik daar nooit achter kom," zuchtte ze. „We zitten trouwens wel zwaar te bomen ineens. Wil jij nog koffie of moet je weg?"

„Van slapen komt nu toch niets meer, dus geef me nog maar wat te drinken, ja. Ik kan van hieruit straks ook naar mijn werk toe," zei Brian tot haar grote opluchting. Ze had het hem niet rechtstreeks willen vragen, maar ze was blij dat hij bleef. Ze zag ertegen op om alleen te zijn, zeker nu het nog donker was en het raam alleen provisorisch was dicht gemaakt. Iedereen die dat wilde kon vanaf de galerij zo naar binnen en onder deze omstandigheden was dat een angstige gedachte. Brians aanwezigheid gaf haar tenminste het gevoel dat ze veilig was.

„Als ik jou was zou ik voor die tijd toch even naar huis gaan om je te scheren," adviseerde ze hem lachend. „En een schoon shirt is ook geen overbodige luxe."

Hij monsterde de vlekken die ze aanwees.

„Pastasaus," bekende hij deemoedig. „Ik was echt van plan om hem in de was te gooien, hoor, maar bij jouw telefoontje heb ik aangetrokken wat voorhanden was en dit shirt hing toevallig nog over de stoel."

„Ik ben blij dat mijn welzijn belangrijker voor je is dan je uiterlijk."

„Altijd," verzekerde hij haar.

De blik die hij haar toewierp deed haar snel haar ogen afwenden. Waarschijnlijk was het beter om dit soort opmerkingen niet te maken na zijn bekentenis van daarnet. Ze wilde absoluut niets uitlokken en zeker niet met hem flirten, daarvoor betekende hij te veel voor haar.

„Koffie dan nog maar?" zei ze luchtig, expres van onderwerp veranderend.

Totdat het licht werd, zaten ze gezellig te kletsen. Eva vertelde Brian uitgebreid over de geboorte van baby Caressa en op zijn beurt vertelde hij verhalen over zijn uitgebreide familie.

„Het lijkt me heerlijk om zoveel broers en zussen te hebben," bekende Eva. „Ik was enig kind."

„Het heeft ook zijn nadelen natuurlijk, maar nu we allemaal volwassen zijn ben ik inderdaad erg blij met mijn grote familie. Vroeger wenste ik vaak dat ik alleen was en zodoende alle aandacht zou krijgen van mijn ouders."

„Nou, dat is anders ook niet alles," zei Eva op droge toon. „Ik kreeg amper de kans om iets stiekems te doen, mijn ouders sprongen overal direct bovenop. Zeker als enig kind moet je aan bepaalde verwachtingen voldoen, die druk heb ik tenminste altijd heel erg gevoeld."

„En dat is in jouw geval niet gelukt?" Vorsend keek Brian haar aan. „Ik heb tenminste nooit de indruk gekregen dat jij en je ouders het goed kunnen vinden samen. Volgens mij hebben jullie totaal geen band."

„De laatste jaren niet, nee," beaamde Eva dat zonder verder

in details te treden. Ze schaamde zich niet voor de abortus, maar vond het ook niet iets om aan de grote klok te hangen. Dit waren zaken die verder niemand iets aangingen. Brian was de afgelopen periode een hele goede vriend van haar geworden en wellicht zou ze het hem ooit nog eens vertellen, maar ze voelde zich zeker niet verplicht om nu onmiddellijk alles uit de doeken te doen. „Toen ik volwassen werd, mijn eigen leven ging leiden en zelfstandig beslissingen begon te nemen, ging het mis. Mijn ouders waren het niet altijd eens met de keuzes die ik maakte en dat gaf wrijvingen. Ik kreeg een beetje het gevoel dat ze me alleen maar wilden helpen en steunen zolang ik deed wat zij van me verlangden."

„Dan heb ik het beter getroffen. Mijn ouders zijn allebei schatten van mensen die hun kinderen altijd in hun waarde hebben gelaten. Niet dat er nooit bonje was hoor, het kon behoorlijk bliksemen bij ons thuis, maar er is altijd respect geweest voor ons, de kinderen." Brians stem klonk warm als hij het over zijn jeugd had, ontdekte Eva. Ze zou er bijna jaloers op worden.

Om half acht die ochtend stond hij op. „Ik moet nu echt gaan," zei hij spijtig. „Het is jammer dat het zo'n vervelende aanleiding had, maar ik moet zeggen dat ik het heel erg gezellig vond."

„Ik was dat raam alweer bijna vergeten," bekende Eva. Tot haar eigen verbazing meende ze dat nog ook. Het angstige, onveilige gevoel dat ze die nacht had gehad, was helemaal verdwenen, dankzij Brians aanwezigheid. Ze voelde zich volkomen op haar gemak bij hem en neigde er op dat moment zelfs naar te denken dat het ingegooide raam gewoon een kwajongensstreek of een ongelukje was geweest.

„Bel me onmiddellijk als er weer iets van die strekking gebeurt," zei hij dringend. „Op dit moment zijn er nog niet echt aanwijzingen dat iemand het speciaal op jou heeft voorzien, maar mocht er weer iets gebeuren dan wordt het natuurlijk een andere zaak. Ik laat in ieder geval die baksteen controleren op vingerafdrukken en ik zal navraag laten doen bij je directe buren, of die iets gehoord of gezien hebben."

„Dank je wel. Niet alleen omdat je het wilt onderzoeken, maar vooral omdat je direct gekomen bent en omdat je vannacht bij me bent gebleven." Enigszins verlegen keek Eva hem aan.

„Niets te danken. Het was erg gezellig zo samen met jou," verzekerde hij haar. Hij boog zich naar haar toe en even dacht Eva dat hij haar wilde gaan kussen, maar hij streek slechts een haarlok van haar gezicht en tikte met een vaderlijk gebaar tegen haar wang. „Probeer niet te veel te piekeren. En nogmaals, bel meteen als er iets is."

„Zal ik doen," beloofde Eva.

Ze zwaaide hem na en keerde terug naar de huiskamer, die ineens vreemd leeg leek. Het stuk karton voor het grote raam leek haar onheilspellend aan te staren. Huiverend keek ze om zich heen. Nu Brian weg was, voelde ze zich meteen weer onveilig in haar eigen huis. Zijn aanwezigheid had ervoor gezorgd dat ze afleiding had en niet piekerde over wat er gebeurd was, maar met zijn vertrek was de angst levensgroot teruggekeerd.

Ze belde de glaszetter, die beloofde binnen een uur langs te komen en Sabrina, die haar afspraken voor die dag zoveel mogelijk zou overnemen of verzetten. In afwachting van de glaszetter liep ze rusteloos heen en weer. Ze snakte naar een warme douche, maar durfde de kamer niet uit, omdat iedereen vanaf de galerij zo binnen zou kunnen komen. Dat karton bood niet echt bescherming tegen ongewenste bezoekers. Ze was blij toen ze het bewuste busje het parkeerterrein op zag komen rijden. Binnen een uur zat het nieuwe raam erin, maar Eva besloot die dag toch niet te gaan werken. De doorwaakte nacht begon zijn tol te eisen en na een lange douche dook ze haar bed in. Ondanks dat haar lichaam schreeuwde om rust, duurde het lang voor ze de slaap kon vatten. Bij ieder geluid dat ze hoorde zat ze recht overeind in bed en toen ze eindelijk in slaap viel droomde ze zo onrustig over Rutger dat ze na een paar uur niet bepaald uitgerust wakker werd. Zwetend over haar hele lichaam gooide ze het dekbed van zich af. Ze had Rutger zo duidelijk voor zich gezien dat ze even dacht dat hij gewoon naast haar lag. Het leek wel of hij haar iets duidelijk wilde maken, maar wat?

Dit wordt te gek, dacht ze even later somber met een beker hete koffie in haar handen. Ze begon zo langzamerhand aan achtervolgingswaanzin te lijden, ze kwam slaap tekort en ze kreeg een overdosis aan cafeïne binnen. Wie deed haar dit toch aan en waarom? Wat was het verband met de geheimzinnige dood van Rutger? Was er überhaupt wel een verband? Als dat zo was, zag zij het in ieder geval niet, aan de andere kant kon ze niets anders bedenken. Haar leven was de laatste tijd gevuld met vreemde gebeurtenissen, dat moest bijna wel met elkaar te maken hebben. Wat probeerde Rutger haar in die droom te vertellen? Of zat ze zichzelf nu helemaal op te fokken voor niets?

Van dit gepieker werd ze in ieder geval niets wijzer, besloot Eva in gedachten ferm. Ze moest iets doen, anders werd ze gek. Een uur later liep ze in de stad, op zoek naar een kraamcadeautje voor Viola en Caressa. Het winkelen bood de nodige afleiding, al kon ze het niet nalaten om iedere keer over haar schouders te kijken. Ze wist zelf niet wat ze dacht te zien, maar bleef wel constant op haar hoede. Nadat ze wat leuke kleertjes en een grote bos bloemen had gekocht ging ze naar het ziekenhuis.

Viola begroette haar verheugd. „Wat heerlijk dat je zo snel alweer komt, ik had je nog niet verwacht. Moest je niet werken?"

„Eigenlijk wel, maar ik heb een afspraak verzet om het middagbezoekuur te kunnen halen," antwoordde Eva luchtig. Voor geen prijs wilde ze haar vriendin ongerust maken door haar te vertellen wat er aan de hand was. Viola had nu wel iets anders aan haar hoofd. Ten eerste moest ze herstellen van de operatie, ten tweede moest ze gewoon lekker genieten van haar kraamtijd. Dit was zo'n unieke periode, dat kon en mocht zij niet voor haar verpesten.

Het werd een gezellig uurtje, maar na afloop van het be-
zoekuur stond Eva weer met haar ziel onder haar arm op
straat. Het was vier uur, zag ze op haar horloge. Al haar
vriendinnen waren nog aan het werk op dat tijdstip.
Eigenlijk was het nog veel te vroeg om te gaan eten, toch
ging ze een eetcafé binnen. Ze had honger, bovendien wilde
ze het moment van thuiskomen zo lang mogelijk uitstellen
uit angst voor wat haar daar te wachten stond.

Net nadat ze haar bestelling gedaan had, ging haar mobiele
telefoon over. Het was Brian, die informeerde hoe ze zich
voelde.

„Het gaat wel," antwoordde ze. „Ik ben net bij Viola geweest
en nu ga ik eten. Heeft het onderzoek nog iets opgeleverd?"

„Nee, het spijt me. Er zaten diverse vingerafdrukken op die
baksteen, maar die zitten niet in ons bestand. Wie het dus
ook geweest is, het is geen bekende van de politie. Verschillende van je buren hebben wel glasgerinkel gehoord,
maar niets gezien. Het is tegen één uur 's nachts gebeurd."

„De dader dacht waarschijnlijk dat ik lag te slapen en wilde
me flink de stuipen op het lijf jagen," zei Eva. „Nou, dat is
hem in ieder geval gelukt, ook al was ik dan niet thuis."

„Het hoeft niet iets persoonlijks te zijn."

„Dat probeer ik mezelf ook voor te houden, maar dat lukt
niet erg. Ik vind het té toevallig dat zoiets twee keer achter
elkaar voorkomt bij dezelfde persoon. Enfin, ik zal af moeten wachten of er verder nog iets gaat gebeuren," zei Eva
nonchalanter dan ze zich voelde.

Ze verbrak de verbinding, maar haar toestel begon meteen
weer te rinkelen. Dit keer was het Albert.

„Waar zit je?" wilde hij weten. Zijn stem klonk ongerust. „Ik
belde naar je werk, maar je assistente vertelde me wat er
gebeurd was. Waar ben je nu?"

„In de stad. Ik ben net bij Viola geweest," vertelde Eva voor
de tweede keer. „Ze heeft gisteravond een dochter gekregen."

„Dat is fijn voor haar, maar het gaat mij nu even om jou," zei
hij lichtelijk geïrriteerd. „Waarom heb je me niet gebeld toen

je vannacht thuiskwam en ontdekte dat je raam was ingegooid? Ik zou meteen naar je toe zijn gekomen. Als er zoiets is, moet je niet alleen zijn."

Heel even flitsten Brians woorden door Eva's hoofd heen. „Misschien heeft Albert het gedaan in de hoop dat jij je uit angst in zijn armen stort." Maar nee, dat was te gek om los te lopen. Zoiets zou Albert nooit doen.

„Ik was niet alleen," zei ze behoedzaam. „Brian is bij me gebleven."

Er viel even een onaangename stilte. „Brian?" herhaalde Albert toen kort. „Waarom?"

„Ik had hem gebeld. Hij werkt bij de politie, het leek me logisch om hem in te schakelen. Hij kwam en is gebleven, dus was het onnodig om jou ook nog eens te alarmeren. Het was midden in de nacht."

„Lieve schat, dat had me niets kunnen schelen," verzekerde Albert haar. „Ik kom in ieder geval straks naar je toe. Om een uur of zes ben ik bij je, oké?"

„Heel graag. Fijn," zei Eva gemeend. Het was een pak van haar hart, want ze zag er enorm tegen op om in haar eentje thuis te gaan zitten nu en ze wilde zelf niet steeds als een zielig slachtoffer aan de telefoon hangen en om hulp vragen. Ze at zo langzaam mogelijk, nam daarna nog een dessert en tot twee keer toe een kop koffie, zodat het al bijna zes uur was voor ze eindelijk afrekende en in haar auto stapte. Bij het parkeerterrein van haar flat aangekomen, keek ze goed om zich heen. Alberts auto stond er al, zag ze tot haar opluchting. Gelukkig. Wat er ook eventueel nog te gebeuren stond die avond, ze was in ieder geval niet alleen.

HOOFDSTUK 14

Albert sloeg meteen zijn armen om Eva heen toen ze uit haar auto stapte en zij liet zich dat maar al te graag welgevallen.

„Ach, schat toch. Wat zul je vannacht geschrokken zijn," zei hij hees.

„Dat kun je wel zeggen, ja." Eva slaakte een lange, trillende zucht. „De schrik zit nog steeds in mijn benen. Wie doet er nou zoiets? Het feit dat het midden in de nacht was, maakte het nog bedreigender. Vandaag ging het wel, maar nu het donker wordt ben ik gewoon bang om naar binnen te gaan. Ik heb heel langzaam gegeten, zodat ik hier niet eerder dan jij zou zijn," bekende ze kleintjes. „Vind je me heel erg kinderachtig?"

„Natuurlijk niet. Kom, we gaan samen boven kijken. Ik voorop," sprak Albert beslist.

Met de armen om elkaar heen geslagen, wat Eva een prettig, veilig gevoel gaf, liepen ze naar de derde etage. Van buitenaf gezien was alles in orde, toch klopte haar hart wild bij het openen van de deur. Gelukkig lagen er dit keer geen onaangename verrassingen op haar te wachten. Haar huis ademde rust en vrede uit, een heel verschil met afgelopen nacht.

„Als je wilt, blijf ik vannacht bij je," bood Albert aan.

Eva lachte even kort. „Mijn buren zullen wel denken: De ene nacht Brian, de volgende nacht jij. Mijn hele reputatie wordt door het slijk gehaald."

„Lak aan de buren," zei Albert onparlementair. „Als jij je maar veilig voelt. Je hoeft trouwens niet steeds om te wisselen, ik blijf met liefde iedere nacht bij je."

Hij keek haar veelbetekenend aan en Eva bloosde diep. Instinctief wist ze dat hij dit niet puur vriendschappelijk bedoelde, zoals bij Brian het geval was geweest. Dit was een verkapte uitnodiging voor meer en ze wist niet goed hoe ze erop moest reageren. Zijn woorden stemden haar blij en gelukkig, toch kon ze er op de een of andere manier niet spontaan op reageren. Ze mompelde vaag iets in de trant van 'we zullen wel zien' en tot haar grote opluchting ging Albert er niet op in.

Omdat Albert nog niet gegeten had, bakte ze een paar eieren met kaas voor hem, die hij met smaak verorberde. In tegenstelling tot Eva leek hij zich volkomen op zijn gemak te voelen. Eva keek steeds schichtig om zich heen, ze schrok op omdat er iemand op de galerij langs haar raam liep en ze verbleekte toen een groepje jongeren wat knalvuurwerk afstak op het parkeerterrein.

„Dit gaat zo niet," zei Albert beslist. „Weet je wat wij gaan doen? Een lekkere, lange strandwandeling maken. Wedden dat je daar van opknapt?"

„Het is koud buiten," stribbelde Eva tegen.

„Dat is juist goed voor je. Trek een dikke jas en handschoenen aan. En makkelijke schoenen," riep hij haar na toen ze toegaf en in de gang haar jas pakte.

Een halfuur later liepen ze langs de vloedlijn. Het was inmiddels helemaal donker geworden, de enige verlichting die ze hadden was van de huizen en horecagelegenheden langs de boulevard. Flarden muziek drongen af en toe tot hen door als er een cafédeur openging, voor de rest was het stil. Op een enkeling met een hond na, waren er geen andere wandelaars te bekennen. De koude wind sneed af en toe Eva's adem af, toch genoot ze.

„Je had gelijk, hier kom ik helemaal tot rust," zei ze. „Gek, ik woon betrekkelijk dicht bij het strand, toch kom ik hier eigenlijk nooit. Zomers ook niet, dan is het me veel te druk met zonaanbidders. Ik hou niet van mensenmassa's."

„Dan is dit de uitgelezen periode voor wandelingen langs het strand. Door de stilte kun je nadenken, de wind blaast alle muizenissen uit je hoofd en de oneindigheid van de zee maakt een mens bewust van het feit dat hij maar een heel nietig wezen is."

„Dat klinkt alsof jij hier vaak en graag komt."

Albert schoot hartelijk in de lach. „Eerlijk? Ik kom hier denk ik net zo vaak als jij, dus eigenlijk nooit. Het leek me nu alleen een goed plan omdat jij zo opgefokt was. Ik hou totaal niet van wandelen, geef mij maar een ritje in een sportwagen."

„Dat had vast niet zo goed geholpen. Dank je wel." Ze stak hem haar hand toe, die hij onmiddellijk greep en niet meer losliet. „De hele dag bleven de vragen maar door mijn hoofd heen spoken, ik kon het gewoon niet van me afzetten. Nu nog niet, maar het is wel rustiger geworden in mijn hersenpan. Het dwarrelt niet meer zo rond, al blijf ik me natuurlijk afvragen wie en waarom."

„Heb je echt geen enkel idee?" wilde Albert weten.

Eva schudde haar hoofd. „Dat heeft Brian me ook al gevraagd. Als ik ook maar een flauw vermoeden zou hebben, zou ik dat echt wel zeggen, want die onzekerheid maakt een mens gek."

„Is Brian het aan het onderzoeken?"

„Hij heeft die baksteen gecontroleerd op vingerafdrukken, maar daar is niets uitgekomen," vertelde Eva. „Mijn buren konden ook niets nieuws vertellen. Sommigen hebben wel glasgerinkel gehoord, maar niemand is op het idee gekomen om even zijn bed uit te stappen en te gaan kijken. Een gewone inbraak was het in ieder geval niet, want ik mis niets."

„Hm, het blijft een vreemd verhaal. Hoe goed ken jij Brian eigenlijk?"

Eva keek verbaasd op. „Brian? Waarom vraag je dat? Je denkt toch niet dat hij er iets mee te maken heeft?"

„Het zou me niet verbazen."

„Hij werkt bij de politie."

„Dat is geen garantie. Ik vind het raar dat hij niet wat grondiger zoekt en het wel heel snel afdoet. Bovendien is hij verliefd op je. Sommige mannen doen rare dingen om de aandacht van een vrouw op zich te vestigen. Hij wist natuurlijk dat je hem direct zou bellen, juist omdat hij bij de politie werkt."

Dit was de tweede keer deze dag dat een van haar vrienden de ander verdacht maakte om dezelfde redenen, realiseerde Eva zich. Zou echt een van de twee dit op zijn geweten hebben? Ze kon het zich niet voorstellen, van allebei niet. Maar

143

het was al vaker gebleken dat haar mensenkennis niet echt onfeilbaar was, dacht ze toen wrang.

„Laten we er maar over ophouden, we komen er toch niet achter door veronderstellingen te uiten," stelde ze voor. Ze rilde in haar dikke jas. „Ik begin het nu wel heel erg koud te krijgen en mijn voet doet behoorlijk zeer. Ik geloof dat er een knots van een blaar opkomt."

„Dan gaan we naar huis," ging Albert hier meteen op in. Geamuseerd merkte Eva de opgeluchte toon in zijn stem op. Hij vond het dus echt niet leuk om te wandelen en had dit alleen voor haar gedaan. Lief van hem, dacht ze teder. Ondanks Brians bedekte waarschuwingen de vorige nacht, wakkerde dit haar gevoelens voor Albert nog meer aan. Hij liet altijd ondubbelzinnig merken hoeveel hij om haar gaf en hoewel haar dat tegengestaan had toen Rutger nog leefde, miste dat nu zijn uitwerking niet. Haar zelfvertrouwen, dat toch al nooit zo groot was geweest en dat ook nog een flinke deuk had opgelopen na de plotselinge, onverklaarbare zelfmoord van Rutger, groeide erdoor. Ze wist dat Brians gevoelens voor haar ook verder gingen dan slechts vriendschap, maar hij toonde dat niet zo, waardoor ze het gevoel kreeg dat het hem niet veel uitmaakte of ze zijn liefde nu wel of niet beantwoordde.

Eenmaal thuis trok ze meteen haar schoenen uit. „Oe, dat voelt beter," kreunde ze. „Waarschijnlijk was het niet zo'n best idee om nieuwe schoenen aan te trekken, hoe lekker ze ook lopen. Mijn hiel is me nu in ieder geval ontzettend dankbaar dat ze uit zijn."

„Laat eens kijken," zei Albert.

Ze ging naast hem op de bank zitten en legde haar nu blote voeten op zijn schoot. Op haar linkerhiel zat inderdaad een vuurrode plek. Hij wreef er voorzichtig overheen, een gebaar dat ze in alle zenuwuiteinden van haar lichaam voelde. Plagend streken zijn vingers nu langs haar voetzool, om te eindigen bij haar tenen.

„Wat heb jij eigenlijk een lelijke tenen," ontdekte hij toen plezierig. Hij hield één voet vlakbij zijn gezicht en keek er aandachtig naar. „Ze zijn krom, dik en grof."

„Zég!" schoot Eva uit. Ze pakte een kussen achter zich vandaan en sloeg dat op zijn hoofd. „Verkeerde tekst, mannetje. Je hoort te zeggen dat dit de meest aanbiddelijke, kleine en lieve teentjes zijn die je ooit gezien hebt."

„O sorry." Hij grijnsde en ontweek het kussen, dat ze voor de tweede keer op zijn hoofd neer wilde laten dalen. In één snelle handbeweging trok hij het uit haar handen, waarna hij het kussen op de grond gooide en haar polsen vastpakte. Hij drukte haar armen langs haar hoofd en boog zich voorover, zodat zijn gezicht nu heel dicht bij het hare was. De spanning tussen hen was voelbaar en Eva hield haar adem in. Als in een film zag ze hem steeds dichterbij komen tot eindelijk zijn lippen de hare raakten. Een lange zucht ontsnapte haar en eerst aarzelend, maar allengs steeds hartstochtelijker, beantwoordde ze zijn kus. Albert liet haar polsen los en automatisch sloeg ze haar armen om zijn hals.

„O Eva." Hij drukte zijn gezicht tegen haar hals en omklemde met zijn hand haar middel. „Eindelijk. Je hebt geen idee hoe lang ik hier al naar verlangd heb. Ik hou van je."

Weer drukte hij zijn lippen op de hare, wat haar belette om te antwoorden. Diep in haar hart was ze daar blij om. Ze vond het heerlijk om in zijn armen te liggen en genoot van zijn kussen, maar zijn spontane liefdesverklaring overrompelde haar. Zelf was ze nog lang zo ver niet dat ze dat zonder terughoudendheid kon zeggen, dat moest groeien.

Dromerig kroop ze zo dicht mogelijk tegen hem aan. Ze kon amper bevatten dat ze zo snel na Rutger opnieuw zo gelukkig kon zijn. Anders dan met hem, maar zeker niet minder. Albert gaf haar het gevoel dat ze een zeer begeerlijke vrouw was. De liefde die ze met Rutger had gedeeld, was vanzelfsprekender geweest, als een verlengstuk van vroeger. Dit was nieuw en spannend. Haar hart ging hevig tekeer en haar bloed joeg met een wilde vaart door haar lichaam. Het leek of ze wegzonk in een draaikolk van emoties. Pas toen zijn hand onder haar trui verdween en hij probeerde de sluiting van haar bh los te maken, schrok ze op.

„Niet doen." Ze ging rechtop zitten en trok haar trui snel naar beneden.

„Waarom niet?" Weer omklemde Albert haar, zijn lippen beroerden zacht haar hals. „Ik verlang naar je en jij ook naar mij. Geef het maar toe."

„Ja. Nee. Alsjeblieft, Albert." Snel stond ze op, weg van zijn bezitterige handen. Het zweet brak haar uit en ze trilde op haar benen, al kon ze zelf niet verklaren waarom.

„Ga ik te snel?" vroeg hij bezorgd. „Lieverd, zeg dat dan gewoon. Het is niet mijn bedoeling om je ergens toe te dwingen wat je niet wilt. Maar ik dacht..."

„Het ligt niet aan jou," viel ze hem in de rede. „Ik eh... Je overvalt me."

„Je schrok van je eigen gevoelens," meende hij te begrijpen.

„Dat is het niet helemaal. Ik voel me gewoon niet zo op mijn gemak. Niet genoeg om... Je weet wel."

Er trok een schaduw over zijn gezicht. „Ik dacht dat wij elkaar inmiddels goed genoeg kenden. Wat kan ik nog meer doen om te zorgen dat je je wel op je gemak voelt bij me?"

Eva ging weer zitten, ze schoof ongemakkelijk heen en weer op de bank. Haar lichaam schreeuwde om meer, maar haar hersens weigerden daaraan mee te werken. Zijn opmerking over haar lelijke tenen had haar onzeker gemaakt, een onzekerheid waarvan de kiem jaren geleden al gelegd was. Tegenwoordig was ze weliswaar slank, maar haar lichaam zat niet strak in haar vel en die dikke periode had zijn sporen en littekens nagelaten op haar huid. Haar borsten waren slap, een feit waar ze zich op dat moment erg van bewust was. Aangekleed zag ze er goed uit, wist ze, maar ze durfde simpelweg haar werkelijke lijf niet aan Albert te tonen uit angst voor een denigrerende opmerking. Een grapje zou al erg genoeg zijn. Ze was bang dat de bewondering in zijn ogen zou omslaan in schrik of, nog erger, afschuw. Dat zou ze echt niet kunnen verdragen.

„Eva, wat is er nou precies?" Albert legde zijn hand op haar schouder en trok haar naar zich toe. Zijn ogen boorden zich in die van haar. „Als je er nog niet aan toe bent, doen we het

146

niet, maar ik wil wel graag dat je eerlijk bent. Je worstelt ergens mee, dat zie ik. Voel je je soms schuldig tegenover Rutger? Vind je het te kort na zijn dood?"

Even kwam ze in de verleiding om dat excuus aan te grijpen, maar dat zou niet goed zijn. Albert had gelijk, ze moesten eerlijk tegenover elkaar zijn. Ze kon beter vertellen waar ze mee zat, eens moest ze er toch doorheen.

„Ik voel me niet zeker genoeg," zei ze met de moed der wanhoop. „Mijn lichaam ziet er niet uit zoals je denkt. Ik ben jarenlang veel en veel te dik geweest en dat heeft zijn sporen nagelaten." Zo, dat was eruit. Als hij er nu vandoor zou gaan, wist ze tenminste precies wat ze aan hem had. In dat geval kon ze hem trouwens beter kwijt dan rijk zijn, dacht Eva flink bij zichzelf.

„Is dat alles?" vroeg Albert ongelovig. „Dáár maak jij je zorgen om? Lieve schat, ik hou van je. Van jou, niet per se van je lichaam. Het eerste moment dat ik je zag hield ik al van je. Mijn hemel, je hebt geen idee wat je voor me betekent. Ik doe alles voor je, alles. Ik zal je altijd prachtig vinden, al zou je een bochel hebben en vijftig kilo meer wegen dan je nu doet. Daar gaat het helemaal niet om. Het gaat me om jou, zoals je bent."

Zijn woorden klonken als muziek in haar oren, toch was er nog steeds iets wat haar tegenhield. Iets wat haar belette om zich in zijn armen te storten en zich helemaal aan hem te geven. Eva wist zelf niet waar dat door kwam. Hij klonk oprecht en ze geloofde hem onvoorwaardelijk, maar ze straalde nou niet ineens van zelfvertrouwen om wat hij zei, al deed het haar goed. Waarschijnlijk had ze gewoon wat meer tijd nodig om over haar complex heen te groeien.

„Het is lief dat je dat zegt," zei ze dan ook. „Maar…"

„Maar je wilt toch niet," vulde hij aan.

„Het spijt me."

„Dat hoeft niet, al kan ik niet zeggen dat ik dit prettig vind." Hij wreef over zijn voorhoofd en trok een grimas. „Eerlijk gezegd had ik me het verdere verloop van deze avond heel anders voorgesteld. Enfin, het is niet anders. Denk niet dat ik je ergens toe wil dwingen of dat ik beledigd ben vanwege je weigering, maar ik ga nu liever naar huis."

„Je bent boos op me," constateerde Eva.

Albert schudde zijn hoofd. „Absoluut niet. Het is alleen.... Nou ja, ik ben bang dat ik me niet kan beheersen. Vanaf onze eerste ontmoeting wist ik al dat jij de vrouw voor me bent en nu je eindelijk zover bent dat je die gevoelens beantwoordt, weet ik niet of ik me in kan houden," zei hij eerlijk. Eva zweeg, want ze wist echt niet wat ze hier op terug moest zeggen. Zijn woorden neigden toch lichtelijk naar een soort chantage en ze wilde niet toegeven alleen maar om hem een plezier te doen. Het moest vanuit haar eigen hart komen.

„Zie ik je morgen?" vroeg Albert dringend. Hij nam haar gezicht tussen zijn handen en kuste haar zacht op haar lippen. Hij drong verder niet aan, iets waar Eva alleen maar blij om was.

Pas later, na zijn vertrek, realiseerde ze zich dat Albert eigenlijk de hele nacht bij haar zou blijven omdat ze zich niet veilig voelde in haar eentje. Zou hij dat alleen maar hebben aangeboden met de bedoeling haar in bed te krijgen? Die gedachte gaf haar een bittere smaak in haar mond. Het was wel erg frappant dat hij meteen wegging toen hij zijn zin niet kreeg, zeker omdat hij wist dat ze niet graag alleen was nu. Ze wist niet goed wat ze hiervan moest denken.

Aan de andere kant waardeerde ze zijn eerlijkheid. Als hij de waarheid sprak over zijn gevoelens, was zijn vertrek juist een teken dat hij haar respecteerde en moest ze blij zijn met zijn houding. Wat ze bij Rutger vanzelfsprekend had gevonden, daarvoor had ze bij Albert meer tijd nodig en hij leek dat te begrijpen.

Al met al overheersten toch de geluksgevoelens bij Eva toen ze die avond in bed stapte. De gedachten aan Albert en hun ontluikende relatie namen haar zo in beslag dat ze niet eens meer stilstond bij de nare gebeurtenissen van de afgelopen tijd. Ze sliep diep en droomloos en ontwaakte de volgende ochtend met een glimlach om haar mond. Haar toekomst bood in ieder geval weer nieuwe perspectieven. Het was sowieso een heel prettig gevoel dat ze weer gewoon verliefd kon worden na alles wat er gebeurd was. Dat was een teken dat ze het verleden verwerkt had en ze in staat was om de draad van het leven weer op te pakken.

Meezingend met een muziekclip op tv kleedde ze zich aan. Ze had zin in de nieuwe dag!

De envelop die in de gang lag merkte ze pas op toen ze met haar jas al aan naar de buitendeur liep om naar haar werk te gaan. Met gefronste wenkbrauwen raapte ze hem op. Vreemd. De brievenbus bevond zich beneden in de hal, dus iemand moest dit onder haar deur door hebben geschoven. Er zat ook geen postzegel op, ontdekte Eva. Ze draaide de envelop om en om in haar handen, bang om te kijken wat erin zat. Toen Albert de vorige avond laat weg was gegaan, had deze brief er in ieder geval nog niet gelegen, dus moest hij vannacht bezorgd zijn. De wetenschap dat iemand 's nachts voor haar deur had gestaan, gaf Eva in de gegeven omstandigheden kippenvel op haar armen. Zou dit iets te maken hebben met haar beschadigde auto en het ingegooide raam? Of...? Ze kreeg hartkloppingen bij de volgende mogelijkheid die in haar opkwam. Zou dit een brief zijn van Albert waarin hij haar vriendelijk, maar beleefd, vertelde dat hij zich bedacht had? Misschien was hij wel zo beledigd door haar afwijzing de vorige avond dat hij haar niet meer wilde zien, ondanks zijn verzekering dat hij van haar hield.

Er was in ieder geval maar één manier om erachter te komen en dat was de envelop openen. Voorzichtig scheurde Eva hem open. Er zat een dun velletje papier in en toen ze dat uitvouwde verbleekte ze van schrik. Op het witte vel papier zag ze de gekopieerde foto van een grafsteen. De tekst erop was niet leesbaar, maar het was een angstaanjagende aanblik. Verder was het blaadje bezaaid met rode spatten, die waarschijnlijk bloed moesten voorstellen. Of het was echt bloed. Bij die gedachte gaf Eva een schreeuw en gooide het blaadje wild van zich af. Trillend leunde ze tegen de gangmuur aan. De hele situatie werd steeds bedreigender. Wat had die geheimzinnige persoon in vredesnaam met haar voor om haar zulke dingen te sturen? Met grote, angstige ogen staarde ze naar het papier op de grond. Dit was een serieuze bedreiging, een die veel verder ging dan het ingooien van haar raam en het lek steken van haar banden.

Op dat moment ging haar deurbel over. Hij leek veel harder te klinken dan normaal en Eva bleef stokstijf staan. Wat nu weer? Ze hoefde maar een paar stappen naar voren te doen om haar deur te openen, maar haar benen weigerden dienst. „Wie is daar?" riep ze schril.

„Eva? Ik ben het, Brian. Doe alsjeblieft open," hoorde ze.

Een immense opluchting nam bezit van haar. Brian was hier, ze was niet langer alleen met dat enge epistel. Hij zou wel weten wat ze moest doen. Met één grote pas stond ze voor haar deur en rukte die open.

„Gelukkig tref ik je nog thuis," zei hij kort. Hij zag er vermoeid en gespannen uit, zag Eva. Plotseling besefte ze dat hij niet zomaar voor een gezellig bezoekje langskwam, hij had een reden. Een ernstige reden, aan zijn gezicht te zien.

„Wat is er aan de hand?" vroeg ze vreemd kalm. Na wat ze net had doorstaan na het openen van die brief, was ze op alles voorbereid. Zijn volgende woorden kwamen echter aan als een mokerslag.

„Het spijt me dat ik je dit moet vertellen. Albert is vannacht gearresteerd op verdenking van de moord op Rutger."

HOOFDSTUK 15

„Wat?" Ze kon het allemaal niet meer bevatten. Het leek wel of ze in een stroomversnelling zat en alle gebeurtenissen razendsnel aan zich voorbij zag trekken zonder dat ze het in haar hersens op kon nemen. Ze schudde wezenloos haar hoofd. „Je maakt een grapje, hè? Albert zei al dat je jaloers was. Je probeert hem zwart te maken." Plotseling lachte ze schril. „Ik was er nog bijna ingetrapt ook."

„Hij heeft al bekend," zei Brian echter ernstig. „Kom mee naar binnen en ga zitten, dan pak ik een glas water voor je." Aan haar elleboog voerde hij haar terug de woonkamer in en willoos liet Eva zich op haar bank zakken. De verwarde gedachten tolden rond in haar hoofd alsof het een achtbaan betrof.

„Is het echt waar?" vroeg ze kleintjes toen Brian een glas water in haar trillende handen duwde.

Hij knikte. „Het spijt me," zei hij nogmaals. „Ik wilde dat ik je dit kon besparen, maar het is de gruwelijke waarheid. Albert heeft Rutger die bewuste avond cognac met Depronal toegediend. Een fatale dosis. Rutger raakte bewusteloos, waarna Albert hem heeft uitgekleed en in bed heeft gelegd. Hij heeft Rutgers glas zorgvuldig afgewassen, afgedroogd en in de kast gezet, en alleen zijn eigen glas laten staan, zodat er geen aanwijzingen waren dat er iemand bij Rutger was geweest. Dat er overal vingerafdrukken van Albert in de flat waren, was niet vreemd. Ze waren bevriend, hij kwam er heel vaak. Het zou verdacht zijn geweest als hij die weg had geveegd, maar zo slim was hij wel. Hij wist ook dat het minstens een dag zou duren voor iemand Rutger zou missen en dat het dan te laat zou zijn."

„Maar hij is degene die Rutger gevonden heeft!" riep Eva uit. In gedachten beleefde ze die gruwelijke avond weer en ze zocht koortsachtig naar bewijzen dat dit verhaal niet klopte. Ze kon zich nog levendig herinneren hoe ontdaan Albert was geweest.

„Hij heeft het goed gespeeld," knikte Brian toen ze dat zei.

„De verdenking viel dan ook niet meteen op hem, maar na enig graafwerk waren er toch al snel bepaalde aanwijzingen die ervoor zorgden dat we hem in de gaten bleven houden."

„In de gaten houden?" herhaalde Eva dociel. Dit werd steeds absurder! Ze haalde diep adem om zichzelf onder controle te houden, want ze had het gevoel of ze ieder moment tegen de vlakte kon gaan. „Bedoel je dat hij al die maanden gevolgd is?"

„Dat is ietwat overdreven, we hielden hem in het oog. Er is nog meer, Eva. Veel meer. Denk je dat je het aankunt om het hele verhaal te horen?" vroeg Brian bezorgd. In zijn ogen las ze medelijden en ongerustheid en er kroop een nare rilling over haar rug.

„Even wachten," weerde ze af. „Het gaat me wat te snel allemaal. Ik kan het echt niet geloven, dit is zo bizar." Onwillekeurig gleden haar gedachten terug naar de vorige avond. Toen had ze ook gezegd dat het haar te snel ging, herinnerde ze zich, al waren die twee situaties niet met elkaar te vergelijken. Maar als Brian gelijk had, waar ze diep in haar hart niet aan twijfelde, was ze blij dat ze die avond daarvoor niet verder was gegaan dan wat zoenen. Het idee dat ze de moordenaar van haar verloofde had gezoend, was al gruwelijk, laat staan hoe ze zich gevoeld had als ze nog een stap verder waren gegaan.

„Koffie?" stelde Brian nuchter voor. „Ik denk dat we wel een hartversterking kunnen gebruiken. Nee, blijf maar zitten. Ik zet het wel."

Terwijl hij in de keuken rommelde belde Eva naar het consultatiebureau om zich ziek te melden. Ze kon niet over haar lippen krijgen wat er allemaal gebeurde, dus zei ze dat ze een stevige griep te pakken had en niet wist wanneer ze weer kon komen.

„Ziek maar lekker uit," zei Sabrina hartelijk. „Ik regel alles wel. Beterschap."

„Dank je," zei Eva met een licht schuldgevoel. Die arme Sabrina had het niet makkelijk met haar, dit was de zoveelste keer al in een paar maanden tijd dat ze niet op haar werk verscheen.

Het korte gesprekje met iemand die nergens van wist, had haar in ieder geval even de gelegenheid gegeven om weer wat tot zichzelf te komen, hoe onwerkelijk alles ook was. Nu de harde waarheid tot haar door begon te dringen wilde ze ook precies weten wat er gaande was.

„Vertel," zei ze dan ook tegen Brian toen hij met hete, sterke koffie terugkeerde uit de keuken. „Ik kijk nu helemaal nergens meer van op, dus ik wil het hele verhaal horen."

„Het is niet prettig," waarschuwde hij haar.

Ze lachte even bitter. „Alsof ik daar inmiddels niet aan gewend ben," merkte ze honend op.

„Albert en Rutger waren niet alleen vrienden, ze werkten ook samen," begon hij.

„Dat weet ik," onderbrak Eva hem. „Het waren partners."

„Maar niet in de elektronica, zoals Rutger jou had verteld. Ze handelden in drugs. En dan praat ik niet over kleine straatdealertjes, maar over megapartijen. Hun klanten behoorden tot de hoogste regionen van onze samenleving en ze hebben er de afgelopen jaren bakken met geld mee verdiend."

„Drugs?" fluisterde Eva. Ze voelde zich net zo'n imbeciel die alles herhaalde wat ze hoorde, maar iedere nieuwe openbaring bleef even dwarrelen voor hij tot haar hersens doordrong.

„Rutger handelde in drugs? Je moet je vergissen. Vroeger wel, ja, toen was hij echt zo'n klein crimineeltje, maar de laatste jaren niet meer. Hij had zich helemaal opgewerkt."

„Ja, van klein crimineeltje tot doorgewinterde dealer," zei Brian grimmig. „Hij heeft dat circuit nooit verlaten, ondanks alles wat hij je wilde doen geloven. Is het je nooit opgevallen dat hij een wel erg luxe levensstijl had?"

„Natuurlijk, maar daar werkte hij ook hard voor. Zijn mobiel stond dag en nacht aan en hij werd op de meest vreemde tijden gebeld."

„Juist. Maar niet door bedrijven omdat ze midden in de

nacht een computer geleverd wilden hebben."

Eva ademde diep. „Wat stom, wat ongelooflijk stom van me," zei ze hartgrondig. „Ik vond dat inderdaad wel raar, maar Rutger wilde me nooit vertellen wat zijn werk precies inhield. Het lag erg ingewikkeld, zei hij altijd. Als ik aandrong werd hij boos of hij ging over op een ander onderwerp. Nadat hij me ten huwelijk had gevraagd zei hij dat hij ander werk wilde gaan zoeken, omdat hij meer tijd met mij door wilde brengen. Hij maakte zich er wel zorgen om dat hij dan minder ging verdienen," herinnerde ze zich.

„Dat zal best, ja. Een normale baan levert nog geen fractie op van wat hij en Albert omzetten," beaamde Brian droog.

„Ik was dus bijna met een drugsdealer getrouwd." Eva schudde in ontzetting haar hoofd. Een aantal puzzelstukjes begonnen op hun plaats te vallen. Ze had vaker gedacht dat ze Rutger toch niet zo goed gekend had, de keiharde bewijzen van die stelling lagen nu op tafel.

„Hij wilde ermee stoppen, juist omdat hij ging trouwen," vertelde Brian verder. „Hij wilde jou niet meeslepen in die wereld en was vast van plan zijn leven te veranderen. Of dat hem gelukt zou zijn, zullen we nooit te weten komen. Op de avond dat hij Albert van zijn plannen op de hoogte stelde, tekende hij zijn doodvonnis."

„Maar waarom?" wilde Eva nu eindelijk wel eens weten.

„Om verschillende redenen. Ten eerste was het risico te groot dat Rutger zou gaan praten. Veel klanten waar ze aan leverden zijn bekende figuren en Albert was bang dat ze het hem aan zouden rekenen als Rutger zich terugtrok en wellicht een keer zou doorslaan. De tweede reden was jij. Albert wilde jou zelf hebben en door Rutger uit de weg te ruimen sloeg hij twee vliegen in één klap. Hij hoefde geen verantwoording af te leggen omdat iemand zich terugtrok uit de organisatie en daarmee mogelijk een gevaar vormde en jij was weer vrij. Hij wierp zich op als vriend en trooster in de hoop dat hij Rutgers plaats in jouw hart in zou kunnen nemen."

„Dat was hem dan bijna gelukt," merkte Eva op. „Gisteravond heeft hij me zijn liefde verklaard en ik was verliefd genoeg om daar dolgelukkig mee te zijn. De toekomst stond weer helemaal voor me open, ik had nieuwe perspectieven en er was weer een man in mijn leven. Het leek allemaal zo mooi. Maar goed, voor de tweede keer stort alles dus weer in. Ik begin eraan te wennen." Dat laatste voegde ze er wrang aan toe.

„Hier kom je ook weer overheen," beloofde Brian haar rustig. „Het is je de eerste keer ook gelukt en dat gaat nu weer gebeuren. Je bent een sterke vrouw, Eva."

„O ja? Zo voel ik me op dit moment anders niet. Weet je dat ik voor het eerst vannacht weer eens lekker heb geslapen? Dat was in tijden niet voorgekomen, maar na Alberts liefdesverklaring voelde ik me zo lekker en ontspannen. Hij gaf me het gevoel dat alles in orde zou komen en dat er ook voor mij nieuw geluk klaar lag."

„Hebben jullie…? Ik bedoel, zijn jullie…?" Brian stokte, duidelijk op zoek naar de juiste woorden om die vraag te stellen.

„Gelukkig niet," antwoordde Eva al. Ze begreep precies wat hij bedoelde. „Al had het niet veel gescheeld. Hij wilde niets liever, maar ik was daar nog niet aan toe."

„Dat verklaart dan waarschijnlijk waarom hij de kroeg indook, dronken werd en begon op te scheppen over hoe hij zijn rivaal uit de weg heeft geruimd. Er was in ieder geval genoeg reden om hem mee te nemen voor verhoor en inmiddels heeft hij een volledige bekentenis afgelegd. Voorlopig blijft hij vast tot aan het proces en ik denk dat hij dan wel een aantal jaren de gevangenis ingaat. Handel in drugs, moord met voorbedachten rade, het wordt een behoorlijke aanklacht."

Brian stond op om hun bekers nog een keer te vullen en Eva bleef diep in gedachten verzonken op de bank zitten. Het was een nogal heftig verhaal om als ontbijt voorgeschoteld te krijgen, dacht ze met galgenhumor. Als ze het goed begreep, was Albert dus gearresteerd als gevolg van haar afwijzing om met hem naar bed te gaan. Als ze wel had toegegeven, had hij de nacht bij haar doorgebracht en was er voor hem niets aan de hand geweest.

„Ironisch hè?" zei ze als vervolg op die gedachte. „De dood van Rutger is uiteindelijk verklaard en opgelost omdat ik weigerde met zijn moordenaar te vrijen. Dat moet Albert verschrikkelijk gefrustreerd hebben als hij om die reden zo dronken is geworden dat hij zichzelf verraden heeft."

„Het zat hem nogal hoog," zei Brian. „Dat hebben we vannacht tijdens het verhoor wel gemerkt. Hij heeft talloze malen verklaard dat hij het uit liefde voor jou heeft gedaan."

„Moet ik me nu gevleid voelen?" vroeg Eva zich bitter af. „Ik blijf liever mijn hele leven alleen. Ik ben wel heel blij dat de raadselachtige dood van Rutger opgelost is. Het feit dat hij zelfmoord pleegde terwijl wij op het punt van trouwen stonden, is me niet in de koude kleren gaan zitten. Je weet dat ik het gevoel had dat er meer achter zat, maar ik ben me toch al die tijd af blijven vragen wat er aan mij mankeerde. Weet je dat het heel slecht is voor je zelfvertrouwen als een man liever zelfmoord pleegt dan met je trouwt?" Ze lachte hard om haar eigen grapje.

„Rutger hield echt van je, daar hoef je niet aan te twijfelen," zei Brian vriendelijk. „Die liefde heeft hem zijn leven gekost. Wat ik net al zei, we zullen er nooit achter komen of het hem ook echt gelukt was om zich boven dat milieu uit te worstelen, maar de intentie was er in ieder geval wel en dat zegt genoeg over zijn gevoelens. Er zijn trouwens een heleboel mensen die van je houden, Eva, en die je willen helpen om hier overheen te komen. Je hebt veel vrienden."

„Ook een vijand," zei ze, denkend aan de angstaanjagende brief die ze eerder die ochtend in de gang had aangetroffen. Door Brians bizarre verhaal was ze het vergeten, maar nu kwam alles weer boven. Hij moest nog steeds ergens in de gang liggen, want ze had hem vol afschuw van zich afgegooid, herinnerde ze zich. Meteen daarop had Brian aangebeld en had ze die brief uit haar hoofd gezet. Waar verpletterend nieuws al niet goed voor was, dacht ze wrang bij zichzelf. Ze zocht hem op en overhandigde hem zwijgend aan Brian.

Hij schrok net zo hard als zij had gedaan.

„Dit is echt vreselijk," zei hij ontdaan. „Ach, lieve schat, wat zul je geschrokken zijn. Hier moet je officieel werk van maken, want dit gaat veel verder dan het lek steken van een paar banden en het ingooien van een raam. Dat zijn slechts vervelende incidenten hierbij vergeleken. Dit is een regelrechte doodsbedreiging." Hij bekeek het papier van alle kanten, maar werd er niets wijzer van. „Uiteraard wordt het onderzocht op vingerafdrukken, maar eigenlijk hoef je daar niets van te verwachten. Mensen weten tegenwoordig veel te goed hoe ze dit soort zaken aan moeten pakken en de dader zal ongetwijfeld handschoenen hebben gedragen bij het maken van dit vod." Hij deed het vel papier terug in de envelop en stopte die in zijn binnenzak.

„Denk je dat Albert er iets mee te maken heeft?" vroeg Eva zich hardop af.

„Alles kan, maar wat voor motief zou hij daarvoor kunnen hebben?" beantwoordde Brian dat met een tegenvraag.

Ze schokte met haar schouders. „Geen idee. Maar heeft een gestoorde gek echt een duidelijke reden nodig? Hij heeft de moord van zijn beste vriend op zijn geweten, dus is al bewezen dat hij niet normaal denkt."

Brian schudde nadenkend zijn hoofd. „Albert is een keiharde crimineel, de moord op Rutger is niet het enige wat hij op zijn kerfstok heeft. Dit…" Hij klopte op zijn binnenzak. „Dit is echter niet gedaan door iemand zonder scrupules, want die zou je rechtstreeks benaderen en niet langzaam treiteren. Dit is echt het werk van iemand die niet helemaal toerekeningsvatbaar is."

„Is dat geruststellend bedoeld?" vroeg Eva met een klein lachje.

„Integendeel," antwoordde hij ernstig. „Het laatste wat ik wil is jou de stuipen op het lijf jagen, maar dit moet je echt serieus nemen. Mensen die dit soort dingen doen denken niet rationeel na, daarom is er ook niet mee te praten. Wat in hun hoofd zit is de waarheid, hoe onrealistisch hun gedachten ook mogen zijn. Daarom denk ik niet dat Albert dit gedaan heeft, al kan ik dat natuurlijk niet met zekerheid zeggen. Niemand kan in zijn hoofd kijken. Hij zit nu in ieder geval vast, dus mocht iets dergelijks zich nog een keer voordoen, dan weet je zeker dat hij er niet achter zat."

„Goh, dat klinkt bemoedigend," zei Eva honend. „Ik moet dus gewoon afwachten of er niet een of andere gek aan mijn deur verschijnt?"

„In principe komt het daar wel op neer, ja," zei Brian eerlijk. „We kunnen wat extra patrouilles hier in de buurt doen, maar zolang er geen concrete aanwijzingen zijn wie dit gedaan heeft kunnen we er heel weinig tegen doen. Kijk in ieder geval goed om je heen, doe niet zomaar de deur open als er geen bekende op de stoep staat en zorg ervoor dat je zoveel mogelijk in gezelschap bent van mensen die je vertrouwt."

Eva snoof minachtend. „Zoals Rutger die ik blindelings vertrouwde, maar die een drugsdealer bleek te zijn? Of iemand als Albert, die zich opwierp als een van mijn beste vrienden, maar die achteraf de moordenaar van mijn verloofde blijkt te zijn? Bedoel je zo iemand?"

Brian keek haar medelijdend, maar ook met een blik vol genegenheid aan. „Niet iedereen heeft een dubbele bodem," zei hij vriendelijk. „Al begrijp ik heel goed dat je er nu zo over denkt. Het zal inderdaad moeilijk voor je zijn om mensen te vertrouwen na alles wat je meegemaakt hebt, maar probeer niet al te achterdochtig te worden. Mensen als Rutger en Albert zijn de uitzonderingen, Eva."

„Dat kan ik alleen maar hopen."

„Geloof me maar." Hij knikte haar hartelijk toe. „Je kunt voorlopig ook bij mij komen logeren," stelde hij toen voor. „Ik heb twee kamers over, dus dat is geen probleem. Op die manier ben je voortdurend verzekerd van politiebescherming." Dat laatste voegde hij er lachend aan toe.

„Bij jou? Meen je dat?" Eva dacht er serieus over na. Het klonk erg aantrekkelijk, moest ze toegeven. Brian had haar altijd al het gevoel gegeven dat ze veilig bij hem was. Bovendien werkte hij bij de politie en hoewel dat natuurlijk geen zekerheid bood dat hij wél te vertrouwen was, gaf het toch een zekere garantie. Hij zou in ieder geval geen crimineel verleden hebben, zoals bij Rutger en Albert wel het geval was geweest. De bedreigende brief had haar zo angstig gemaakt dat ze zich in haar eentje in haar eigen huis in ieder geval niet prettig meer voelde en haar vriendinnen wilde ze hier liever niet mee belasten. Wie weet wat die gek hen aan zou doen. Behalve Viola woonden die trouwens ook allemaal alleen, wat niet echt bescherming bood. En Viola was net bevallen, die lag in het ziekenhuis te genieten van haar kraamtijd, dus daar kon ze met deze problemen nu zeker niet terecht. Na al deze overwegingen knikte ze langzaam. „Misschien is dat helemaal geen slecht idee," zei ze. „Dan doen we dat," zei Brian. „Pak meteen je spullen en ga met me mee. Ik heb liever niet dat je hier nu alleen blijft." „Ik eigenlijk ook niet," zei Eva met een klein lachje.

Terwijl Brian de keuken opruimde en hun bekers afwaste, verdween Eva in haar slaapkamer. Besluitloos keek ze in haar kast. Wat moest ze allemaal meenemen? Ze had geen flauw idee hoe lang deze onverwachte logeerpartij zou gaan duren. In ieder geval had ze haar laptop nodig. Daar stond haar administratie in en daar schreef ze haar columns op. Die column moest trouwens eind van deze week ingeleverd worden, realiseerde ze zich. Met haar laptop op schoot ging ze op de rand van haar bed zitten. Haar werk en alle bijkomende bezigheden stonden ineens mijlenver van haar af. Al zou ze haar leven ermee kunnen redden, dan zou ze op dat moment nog geen onderwerp weten te verzinnen voor haar maandelijkse bijdrage aan het tijdschrift. Alles in haar hoofd draaide om Rutger en Albert. Albert die Rutger vermoord had. In gedachten probeerde ze zich een voorstelling te maken van die bewuste avond. Rutger, die Albert meedeelde dat hij wilde stoppen met hun lucratieve zaakjes vanwege haar en Albert, overmand door jaloezie, die pijnstillers in zijn cognac oploste en hem daarna bewusteloos in bed

159

had achtergelaten, wetend dat iedere hulp te laat zou komen. Het leek wel of er een ijskoude hand om haar hart werd gelegd bij deze gedachte. Hoe had hij dat kunnen doen? Erger nog, hoe had zij verliefd kunnen worden op een man die zo koelbloedig was? Hij had ook nog de tegenwoordigheid van geest gehad om Rutgers kleding keurig netjes over de stoel te hangen, zoals Rutger zelf ook altijd deed, en om daarna zijn glas zorgvuldig af te wassen en op te ruimen. Dat bewees wel dat hij niet in een vlaag van verstandsverbijstering had gehandeld, maar zeer goed na had gedacht over zijn daad. En met diezelfde man had ze gisteravond bijna...

Ze rilde bij de herinnering aan zijn zoenen en was dankbaar voor het feit dat ze niet verder was gegaan. Iets had haar tegengehouden om zich in zijn armen te storten en hoewel ze zelf niet wist wat dat iets was geweest, was ze er nu blij om. De gedachte dat Rutger van bovenaf zelf had ingegrepen, drong zich onweerstaanbaar aan haar op. Wie weet, er gebeurde meer tussen hemel en aarde wat niet te verklaren was.

Nog steeds starend naar de laptop op haar schoot en niet in staat om helder na te denken en iets te doen, sprongen de tranen in haar ogen. Toen Brian even later kwam kijken hoe ver ze al gevorderd was, vond hij haar huilend op bed. Zwijgend ging hij naast haar zitten en troostend sloeg hij zijn armen om haar heen. Met een mengeling van ongerustheid en tederheid keek hij neer op de donkerbruine krullen die tegen zijn borst rustten, terwijl hij zacht haar rug streelde.

HOOFDSTUK 16

Er volgden een paar vreemde, maar rustige weken. Vreemd, omdat Eva bij Brian ingetrokken was en alles wat haar overkomen was moest zien te verwerken en rustig in de zin dat er geen nieuwe bedreigingen of vernielingen zich aandienden. Om de paar dagen gingen ze samen naar Eva's flat om de post op te halen en alles te controleren, maar er gebeurde niets meer. Haar huis lag er steeds rustig bij en ze ontving geen angstaanjagende brieven.

Eva was inmiddels weer gewoon aan het werk en had haar leven zoveel mogelijk normaal opgepakt. Behalve het feit dat ze voorlopig bij Brian in de logeerkamer bivakkeerde, was er eigenlijk niets veranderd. Ze ging als vanouds iedere week tennissen en verzorgde met haar band een aantal sinterklaas- en kerstoptredens in diverse winkelstraten. Samen met haar werk, haar columns en een paar radiogesprekken over kinderverzorging en opvoeding, had ze het druk genoeg om niet al te veel te piekeren. Langzamerhand begon alles weer gewoon te worden en dacht ze er zelfs weer over om weer alleen te gaan wonen, hoewel ze niet echt stond te springen om terug te keren naar de flat waar zoveel gebeurd was.

„Ik wil verhuizen," zei ze op een gegeven moment dan ook tegen Brian. Ze hadden net samen gegeten, iets wat ze een paar keer per week deden als Eva 's avonds geen afspraken had en hij niet hoefde te werken. „Die flat bezorgt me de rillingen, daar wil ik niet meer wonen. Ik wil helemaal opnieuw beginnen in een huis waar geen nare herinneringen liggen."

„Je kunt ook hier blijven wonen," opperde Brian. „Ik heb plaats genoeg en ik vind het wel gezellig zo."

Hij keek haar even peilend aan, maar Eva schudde haar hoofd. „Nee, ik heb een plek voor mezelf nodig. Het zou niet goed zijn als ik hier bleef alleen vanwege alle nare gebeurtenissen. Ik moet een frisse start maken."

Brian ging hier niet op in en daar was Eva blij om. Ze wist

maar al te goed wat zijn gevoelens voor haar waren, maar daar stond haar hoofd nog helemaal niet naar. In tegenstelling tot een jaar geleden was een relatie nu het laatste waar ze aan moest denken. Eerst moest ze het verleden af zien te sluiten en leren met zichzelf te leven voor ze een leven met zijn tweeën aankon. Het was haar nu wel duidelijk dat ze zich veel te snel in zowel Rutgers als Alberts armen had gestort, gedreven door haar verlangens naar een eigen gezin.

Wat ze voor liefde aangezien had, was eigenlijk niets anders geweest dan angst voor eenzaamheid. Vanaf het moment dat ze de relatie met Mark had verbroken, was ze alleen maar op zoek geweest naar iemand die hem kon vervangen, realiseerde ze zich nu. De hernieuwde kennismaking met Rutger was dan ook als de verhoring van een gebed gekomen. Na zijn dood was het niet meer dan vanzelfsprekend geweest dat Albert zijn plaats innam en nu iets met Brian beginnen zou al net zo'n logisch vervolg zijn. Juist omdat ze al in zijn huis woonde, zouden ze als vanzelfsprekend een samenwonend stel worden zonder dat ze daar bewust voor gekozen hadden en dat wilde Eva vermijden. Als het ooit iets zou worden tussen Brian en haar, moest dat om de goede redenen zijn en niet omdat het toevallig zo uitkwam. Ze had al zoveel fouten gemaakt op het gebied van de liefde.

„Ik kan een huisje huren via een kennis van Janet," vertelde ze. „Een benedenwoning met drie kamers, een badkamer en een tuintje erbij. Een echt huis dus, geen flat. Wil jij morgen met me mee om het te bekijken?"

„Natuurlijk," stemde Brian onmiddellijk toe. „Maar weet je zeker dat je het aandurft? Er is nog niets opgelost."

„Ik neig er steeds meer naar te denken dat Albert alles op zijn geweten heeft. Het is wel erg toevallig dat er niets meer gebeurd is sinds hij gearresteerd is."

„Hij ontkent het in alle toonaarden en eerlijk gezegd heb ik geen reden om hem niet te geloven," merkte Brian nadenkend op.

„Wil je me bang maken zodat ik hier blijf?" vroeg Eva half lachend.

„Nou..." Hij knipoogde veelbetekenend naar haar, vervolgde toen serieus: „Ik weet niet wat ik ervan moet denken, Eva. Het kan ook de beruchte stilte voor de storm zijn. Ik heb geen moment rust zolang het niet opgelost is. Verhuis alsjeblieft niet overhaast, je weet dat je mij niet in de weg zit."

„Het huis komt pas in januari vrij, dus het duurt sowieso nog een paar weken voor ik erin kan trekken. Ik wilde je al vragen of ik tot die tijd hier kan blijven," bekende Eva.

„Dat is geen enkel probleem. Trouwens," veranderde hij van onderwerp. „Over een paar dagen is het kerst. Heb jij al plannen voor die dagen?"

„Nog niet. Ik wilde eigenlijk naar Viola toe gaan, maar ze gaan een paar dagen bij de ouders van Andreas logeren. Mijn ouders hebben wel gevraagd of ik met ze mee wil naar hun huisje in Frankrijk, maar daar heb ik helemaal geen zin in. Ik zie me daar al dagenlang opgesloten zitten met alleen mijn ouders als gezelschap." Eva rilde gemaakt. „Dat worden vast geen leuke, gezellige dagen."

„Tweede kerstdag heb ik dienst, maar de eerste dag ga ik naar mijn ouders en mijn moeder heeft gevraagd of jij mee wilt komen. Mijn broers en zussen komen ook met hun aanhang, dus in totaal zullen we met een man of twintig zijn, inclusief de kinderen."

„Het klinkt goed, maar kan ik dat zomaar doen?" vroeg Eva zich hardop af. „Wat voor conclusie zullen ze trekken als ik met je meekom naar zoiets als een intiem familiekerstfeest?"

„O, mijn zussen zullen zich ongetwijfeld afvragen of wij een vurige liefdesverhouding hebben en als ze erachter komen dat dat niet het geval is, zullen ze alles doen om ons te koppelen," voorspelde Brian opgewekt. „Maar daar moet je je vooral niet door laten weerhouden. Mijn broers zal het weinig interesseren of er iets tussen ons is en mijn ouders zullen je alleen maar liefdevol verwelkomen. Voor mijn neefjes en nichtjes hoef je helemaal niet bang te zijn, die zijn wel gewend aan veel mensen om hen heen en die kijken echt niet vreemd op van een persoon meer of minder. Bij mijn ouders is altijd iedereen welkom." Dat laatste klonk trots en haalde Eva over de streep. Ze zag de uitgebreide, gezellige familie al voor zich en verlangde ernaar om daar deel van uit te maken, al was het maar voor één dag. Haar kerstdagen hadden nooit in het teken van familie gestaan.

„Goed," zei ze dan ook. „In dat geval ga ik graag met je mee."

„Fijn." Zijn ogen lachten haar tegemoet en Eva voelde zich warm worden. Snel stond ze op.

„Kom op, luilak. Tijd om af te wassen. Ik heb al gekookt, dus eigenlijk moet ik je de vaat alleen laten doen, maar omdat ik zo'n goed hart heb zal ik je helpen afdrogen."

„Ik zal je eeuwig dankbaar zijn," verklaarde Brian plechtig met één hand tegen zijn borst gedrukt.

Lachend verdwenen ze in de keuken. De sfeer tussen hen was vertrouwd en intiem, zoals het al sinds het begin van hun vriendschap was geweest. Tijdens het afdrogen nam Eva Brian tersluiks van top tot teen op. Ze wist dat ze er goed aan deed om te verhuizen en niet automatisch in een relatie te rollen, maar ze wist ook dat ze zijn gezelschap zou missen.

Eerste kerstdag was een openbaring voor Eva. Ze werd onmiddellijk liefdevol en warm opgenomen in de familie van Brian en niemand leek het gek te vinden dat ze met hem meekwam. De sfeer tussen de familieleden onderling was warm en gezellig en de kwinkslagen vlogen over en weer. Eva genoot van dit ongedwongen samenzijn. Dit was haar volkomen vreemd. De verhouding met haar ouders was voor de abortus niet slecht geweest, maar ook niet zo hecht als ze hier nu meemaakte. Het was als een warm bad voor haar, waar ze zich helemaal in onderdompelde. De kinderen van de familie zeilden overal gemoedelijk tussendoor. Eva deed een spelletje met twee van hen, leerde van een ander nichtje een grappig liedje en wiegde een doodvermoeide peuter, het jongste neefje van Brian, op haar schoot in slaap. Haar hart stroomde over van liefde terwijl ze neerkeek op het ronde gezichtje dat zo vertrouwelijk tegen haar aangevlijd lag.

Dit was nog steeds wat ze het liefste wilde, besefte ze. Een eigen gezin. Kinderen van haarzelf om te verzorgen en te begeleiden op weg naar volwassenheid. Een partner met wie ze die taak kon delen. Een huis waar ze zich allemaal geborgen en thuis voelden. Toch was er iets wezenlijks veranderd binnen in haar. Hoewel een eigen gezin nog steeds haar grootste wens was, wilde ze die niet meer ten koste van alles realiseren. Ze zou nooit meer genoegen nemen met een willekeurige man die verliefd op haar was om haar doel te bereiken. De volgende relatie die ze aanging, moest echt zijn en een goede basis hebben, dan volgde de rest vanzelf. Als dat tenminste voor haar weggelegd was, mijmerde ze terwijl ze het kind op haar schoot teder over zijn ruggetje aaide. Maar zo niet, dan was haar leven alsnog rijk gevuld met andere dingen. Voor het eerst sinds ze volwassen was, had ze niet meer het gevoel dat haar leven niets waard zou zijn als ze niet zou trouwen en geen kinderen zou krijgen. Het was een ontdekking die haarzelf nog het meest verraste. Haar leven was goed zoals het was en alles wat er eventueel nog aan toegevoegd zou worden in de toekomst, was alleen maar mooi meegenomen, maar niet langer de hoofdzaak. Dat was dan in ieder geval de winst die ze overgehouden had aan de relaties met Rutger en Albert.

„Heb je het naar je zin gehad vandaag?" vroeg Brian op de terugweg. Het was stil op de snelweg, toch reed hij rustig. Het was zo intiem met zijn tweeën in de auto, het uur dat ze nodig hadden om thuis te komen wilde hij zo lang mogelijk rekken.

„Ik vond het heerlijk," antwoordde Eva naar waarheid. „De hele sfeer binnen jouw familie is uniek. Iedereen was zo lief en hartelijk."

„Verkijk je daar niet op, de borden vliegen bij ons ook wel eens in het rond," grinnikte Brian. „We kunnen behoorlijk ruziemaken onder elkaar, maar het loopt nooit écht uit de hand. Uiteindelijk wordt alles wel uitgepraat."

„Dat bedoel ik nou, dat is iets wat je merkt als je als vreemde die kring binnenkomt. Jullie hebben duidelijk een band met elkaar."

„We hebben van onze ouders altijd geleerd om respect voor elkaar te hebben," vertelde Brian. „Dat scheelt natuurlijk enorm. Natuurlijk zijn we het lang niet altijd met elkaar eens en sommigen van mijn broers en zussen zie ik alleen met verjaardagen en kerst omdat ik voor de rest geen behoefte heb aan contact met ze, maar er is geen haat en nijd onderling. Als we bij elkaar zijn, is het altijd gezellig."

„Wat zul jij een heerlijke jeugd gehad hebben," mijmerde Eva stilletjes voor zich heen. Ze zag het al helemaal voor zich. Het grote huis van Brians ouders, de zeven kinderen die daar allemaal een eigen plekje hadden, de vriendjes en vriendinnetjes die in en uit liepen, de twee honden en de poes. Rumoerig, ongetwijfeld rommelig en vaak chaotisch, maar ook enorm warm en gezellig. Een echt thuis.

„Een grote familie hebben heeft voordelen, maar ook nadelen," merkte Brian nadenkend op. „Ik had ze geen van allen willen missen, hoor, maar stiekem verlangde ik er ook wel eens naar om enig kind te zijn of om slechts één broer of zus te hebben. Het was bij ons thuis altijd druk en we hadden weinig privacy. Veel aandacht voor ons als individuen was er niet, want daar hadden mijn ouders geen tijd voor. Die hadden het veel te druk met het runnen van dat grote gezin en met de praktische kanten ervan. Op vakantie gaan was er ook nooit bij, simpelweg omdat dat te duur was. Het vakantiegeld van mijn vader ging op aan grote aankopen voor het huis, of aan fietsen of schoolboeken. Soms gingen we een dagje naar een pretpark, maar over het algemeen moesten we ons tevreden stellen met het strand, het bos of gewoon met de achtertuin als het mooi weer was."

„Toch had je het vast niet willen missen," zei Eva spits.

„O nee, zeker niet." Brian schudde zijn hoofd. „Nu we allemaal volwassen zijn ben ik alleen maar blij met mijn grote familie en als ik terugkijk naar mijn jeugd herinner ik me ook vooral de goede dingen en de leuke kanten, toch was het echt niet alleen maar rozengeur en maneschijn. Maar dat is het nooit, in welke situatie je ook zit. We willen altijd datgene wat we niet hebben. Jij bent opgegroeid als enig kind en ziet dus alleen de leuke kanten van een groot gezin, bij mij was dat dus andersom. Ik verlangde er af en toe hevig naar om mijn ouders voor mij alleen te hebben en om nieuwe kleren te dragen in plaats van de afdankertjes van mijn oudere broers."

„Dat zijn dingen waar je niet bij stilstaat als je er van buitenaf tegenaan kijkt," gaf Eva toe. „Toch zou ik zelf meer dan één kind willen hebben. Twee of drie, misschien vier. Als ik vroeger over de toekomst fantaseerde stelde ik me altijd voor dat ik eerst twee kinderen zou krijgen met twee jaar ertussen, en dan later, na een jaar of vijf, zes, weer twee kinderen met een klein leeftijdsverschil. Dat leek me ideaal. Net of je twee keer een gezin krijgt."

„Zijn die plannen nu veranderd dan?" informeerde Brian.

„Nou, het lijkt me nog steeds leuk." Eva schoot in de lach. „Maar Moeder Natuur werkt tegen op dat gebied. Ik ben bijna eenendertig, dus zelfs als ik vandaag mijn eerste kind zou krijgen zou dat al bijna niet meer mogelijk zijn. Toch hoop ik nog altijd dat ik ooit moeder word. Desnoods van slechts één kind, maar het liefst van meerdere. Ik zou ook graag deel uit willen maken van zo'n hechte familie met eigen kinderen, schoonkinderen en kleinkinderen. Zeker na zo'n dag als vandaag, dan voel ik wat ik zelf gemist heb."

„Je kunt het zo krijgen als je dat wilt." Brian klemde het stuur wat steviger tussen zijn handen en hield zijn blik strak op de weg gericht. Hij durfde haar niet aan te kijken. „Je hoeft maar één woord te zeggen en mijn familie wordt jouw familie. Mijn ouders jouw ouders en mijn broers en zussen jouw broers en zussen. Officieel zelfs."

„Dat weet ik," zei Eva zacht. „Maar zou je echt willen dat ik 'ja' tegen je zeg, alleen maar om deel uit te kunnen maken van je familie?"

„Ik had toch gehoopt dat er meer tussen ons was dan dat," zei hij wrang. „Of vergis ik me nu heel erg?"

„Nee." Eva schudde haar hoofd. „Je hebt gelijk. Er is meer tussen ons, maar ik ben er nog niet uit of dat genoeg is. Misschien ben ik wel alleen bezig verliefd op je te worden omdat je me zo helpt en ik op je kan leunen. Dat was bij Albert ook zo."

„Daar wil je me toch hopelijk niet mee vergelijken?"

„Jou niet, maar de situatie wel. Hij wierp zich op als rots in de branding en daar viel ik voor. Ik dacht dat ik verliefd was terwijl dat achteraf helemaal niet zo bleek te zijn. Ik dacht ook van Rutger te houden, genoeg om met hem te willen trouwen, maar nu weet ik dat ik dat gevoel alleen maar had omdat hij me het felbegeerde gezin kon geven. Ik wilde een man en hij diende zich aan. Hoe weet ik of het deze keer anders is? In het verleden is wel gebleken dat ik dat onderscheid niet kan maken."

„Die garantie krijg je nooit honderd procent," wist Brian.

„Maar dat wil ik wel. Ik weet heus wel dat iedere relatie en ieder huwelijk kan stranden, om welke redenen dan ook, maar dan wil ik toch wel de zekerheid hebben dat de basis goed is en ik er niet om de verkeerde redenen mee begonnen ben. Ik wil geen relatie met jou om geborgen te zijn en eindelijk de familie te hebben waar ik altijd naar verlangd heb. Als wij ooit een relatie krijgen moet dat zijn omdat ik zelf niets liever wil dan bij jou zijn, zonder bijkomende redenen."

„Maar hoe kom je daar ooit achter als je je af blijft vragen of het wel goed is?"

Even bleef het stil na die vraag. Eva dacht er diep over na. „Zolang ik het me afvraag, is het dus niet goed," zei ze uiteindelijk bedachtzaam. „Hoe daar verandering in kan komen weet ik ook niet, ik denk dat ik daar gewoon naar toe moet groeien. Mocht het ooit zover komen, dan weet je in ieder geval heel zeker dat het om jezelf te doen is en dat je niet als troostprijs dient na alles wat ik doorstaan heb."

„Dat is zeker belangrijk," beaamde Brian. „Als je erachter

komt, laat het me dan weten, Eva. Ik wil je niet onder druk zetten, maar ik wil ook zeker niet iedere keer afgewezen worden, dus zal ik er niet meer over beginnen. Als je klaarheid hebt over je gevoelens, kom dan naar me toe. Ook als het negatief uitvalt voor mij."

„Dat zal ik doen," beloofde Eva ernstig. „Maar dat geldt andersom ook als jij tot de ontdekking komt dat ik het toch niet ben voor jou."

„Daar hoef je niet bang voor te zijn," zei hij met een flauwe glimlach opzij.

Zwijgend legden ze een aantal kilometers af, allebei verdiept in hun eigen gedachten. Eva worstelde met zichzelf. De verleiding om gewoon toe te geven aan haar verliefde gevoelens was groot, maar ze durfde het niet. Ze was in korte tijd al twee keer de mist in gegaan op het gebied van de liefde, dat wilde ze zeker niet tot een gewoonte maken. Al was Brian in niets te vergelijken met Rutger en Albert, die allebei niet eerlijk waren gebleken, toch was ze angstig geworden. Hoe wist ze of het deze keer wel echt was? Ze realiseerde zich dat Brian lang niet alles van haar af wist. Wie gaf haar de garantie dat hij zich niet van haar af zou keren als hij de waarheid te horen zou krijgen? Plotseling was het heel erg belangrijk voor haar dat hij haar verleden zou kennen. Zijn reactie zou in ieder geval bepalend zijn voor het voortzetten van hun vriendschap.

De intimiteit in de donkere auto gaf de doorslag. Dit was dé gelegenheid om met haar bekentenis voor de dag te komen. Brian moest zijn ogen op de weg houden en zou haar niet aan kunnen kijken als ze haar verhaal deed. Bovendien was het erg rustig om hen heen, ze hoefde niet bang te zijn dat hij uit schrik een onverhoedse beweging zou maken en daardoor tegen een andere wagen aan zou knallen. Zowel voor als achter hen lag de weg er verlaten bij, het leek wel of zij de enige mensen op aarde waren.

„Ik had allang moeder kunnen zijn," zei ze ineens vanuit het niets. „Ik had een zoon of dochter van twaalf jaar kunnen hebben nu, maar ik heb een abortus ondergaan."

Heel even maakte de wagen een beweging naar rechts, maar Brian had het voertuig meteen weer onder controle.

„Waarom?" vroeg hij slechts.

„De baby was van Rutger," begon Eva te vertellen. „Op mijn zeventiende was ik al stapelverliefd op hem, maar in die tijd begon hij af te glijden naar het criminele circuit. Ik heb onze relatie verbroken omdat ik mijn kind niet op wilde zadelen met een vader die het niet zo nauw nam en die drugs gebruikte. In mijn eentje durfde ik het echter ook niet aan. Mijn hele toekomst lag in diggelen, ik wist niet hoe ik een studie moest combineren met de opvoeding van een kind en ik was bang dat ik het niet zou redden allemaal."

„Het moet een moeilijke beslissing zijn geweest," zei Brian toen ze zweeg.

„Dat was ook zo, al dachten mijn ouders dat ik het uit gemakzucht had gedaan. Het huis was te klein toen ik het ze vertelde. Ik was onverantwoordelijk, lichtzinnig en onvolwassen bezig geweest, volgens hen."

„Vandaar jullie slechte band."

Eva knikte slechts. Ze keek even opzij naar zijn vertrouwde profiel. Aan niets was te merken dat hij hevig geschokt was door haar verhaal.

„Veroordeel jij me niet?" vroeg ze zacht.

„Lieverd, waarom zou ik?" Zijn stem klonk oprecht verbaasd. „Je had er goede redenen voor, bovendien was je nog heel erg jong. Ik kan me voorstellen dat dit je enige uitweg was op dat moment. Wel vraag ik me af of je het ooit helemaal verwerkt hebt. Je angst voor eenzaamheid en je hang naar een eigen gezin, onverschillig met wie, zou heel goed terug te voeren kunnen zijn op die abortus."

„Dat denk ik ook, ja," gaf Eva toe. „Zeker in het begin. Mijn hele leven veranderde na die ingreep. Mijn relatie met Rutger was over, ik ging het huis uit en ik begon aan mijn studie. Niets was meer hetzelfde en hoewel dat niets met de abortus op zich te maken had, voelde ik me heel erg ontheemd in die tijd. Juist omdat ik me ook meteen heel erg op mijn studie stortte, gunde ik mezelf te weinig tijd om alles te verwerken. In plaats van mijn gevoelens te onderkennen stopte ik ze weg onder een laag eten. Ik at zoveel dat ik van maat achtendertig naar maat achtenveertig ging en steeds eenzamer werd. Toen ontmoette ik Mark, die ondanks mijn gewicht toch een relatie met me wilde en die kans greep ik met beide handen aan. We gingen samenwonen en ik maakte mezelf wijs dat ik dolgelukkig was met hem. Ik moest blij zijn met hem, want geen enkele andere man wilde me immers hebben. Het duurde dan ook heel lang voor ik doorhad dat deze relatie niet goed voor me was. Mark kleineerde me waar hij kon en behandelde me als zijn voetveeg. Het heeft jaren geduurd voor ik genoeg moed had verzameld om hem de deur te wijzen en aan mezelf te gaan werken. De twee jaar daarna ben ik dertig kilo afgevallen, met behulp van mijn vriendinnen, en ben ik lid geworden van de band en de tennisclub om 's avonds niet meer alleen thuis te hoeven zijn."

„Nog steeds op de vlucht voor je gevoelens dus," concludeerde Brian. „Je kon niet alleen zijn omdat je dan met jezelf werd geconfronteerd."

„Dat klopt. Ik was voortdurend op de vlucht, zonder het zelf te beseffen. Op een dag kwam ik Rutger weer tegen en hij bleek nog steeds van me te houden. Zonder mezelf vragen te stellen heb ik me daaraan overgeleverd. De rest van het verhaal ken je."

Ze hadden inmiddels de snelweg verlaten en Brian manoeuvreerde de auto door de stad, waar het veel drukker was. Hij had dan ook zijn aandacht bij het verkeer nodig en reageerde niet op haar verhaal. Pas nadat hij de auto voor zijn huis had geparkeerd begon hij weer te praten.

„Ik ben blij dat je me voldoende vertrouwt om dit te vertellen," zei hij ernstig terwijl hij haar diep in de ogen keek.

Eva beet op haar onderlip. „Ik kan het best begrijpen als je nu een afkeer van me hebt."

Brian schudde met zijn hoofd. „Integendeel zelfs," zei hij warm. „Op dit moment zou ik niets liever willen dan je gelukkig maken en je het verleden doen vergeten. Maar je hebt gelijk, dat zou niet goed zijn. Het wordt hoog tijd dat je op eigen benen gaat staan en jezelf ontdekt, want daar heb je twaalf jaar te lang mee gewacht. Ik ben geen Mark, Rutger of Albert, maar daar moet je zelf achter komen. Je moet eerst tot rust komen en alles verwerken, dan pas staat de weg voor ons samen open."

Eva strekte haar handen naar hem uit en hij pakte ze in een stevige greep vast. „Ik ben al een heel eind op de goede weg," zei ze. „De abortus heb ik al verwerkt. Ik weet inmiddels zeker dat ik daar goed aan heb gedaan, want anders had ik een kind gehad met een heleboel trauma's over zijn of haar vader."

„Nu de rest nog," knikte Brian. „En ook dat gaat je lukken, Eva. Het feit dat je op jezelf wilt gaan wonen en niet automatisch bij mij blijft wonen omdat dat gemakkelijker is, bewijst dat wel. Ik heb er alle vertrouwen in."

Langzaam brak er een lach door op Eva's gezicht. Dat Brian begrip en respect toonde voor haar keuze, was enorm belangrijk voor haar. „Ik eigenlijk ook wel," zei ze. Voor het eerst voelde ze dat ook echt zo.

HOOFDSTUK 17

Het nieuwe jaar begon goed voor Eva. Begin januari kwam haar nieuwe huis leeg en met alle hulp van haar vriendinnen, Brian en twee van zijn broers kostte het maar weinig tijd om het naar haar zin op te knappen. De houten vloeren waarvan het hele huis was voorzien liet ze liggen en ook de badkamer en keuken waren nog vrij nieuw, zodat ze daar niets aan hoefde te doen. Het verven van het houtwerk en het witten van de plafonds was binnen twee weken gebeurd, waarna ze kon beginnen met de inrichting. Brians moeder had gordijnen voor haar genaaid en Andreas, de man van Viola, had enkele stopcontacten vervangen en verplaatst en al haar lampen opgehangen. Toen de derde week van januari aanbrak, hoefde Eva alleen nog maar haar spullen over te brengen.

Voor het zover was, dwaalde ze voldaan door het lege huis heen. Eindelijk kon haar nieuwe leven van start gaan en ze had er zin in. Zelfs nu al, zonder haar vertrouwde spullen om zich heen, voelde ze zich helemaal thuis in deze nieuwe woning. Ze had enkele nieuwe meubelstukken besteld die deze week nog bezorgd zouden worden en samen met Brian was ze naar een aantal rommelmarkten geweest waar ze wat leuke dingen op de kop had getikt. Het was voor het eerst dat ze zo intensief bezig was met het creëren van een thuis. Voor haar flat had ze destijds lukraak wat meubelstukken uitgezocht bij een postorderbedrijf. Alles wat ze had paste goed bij elkaar, toch was het nooit een echt geheel geworden. Dat interesseerde haar nooit zoveel, want ze was toch zo weinig mogelijk thuis. Haar flat was een plaats geweest waar ze haar spullen bewaarde, waar ze soms at en waar ze sliep, meer niet. In dit huis zou dat anders worden. Eva had zelfs haar lidmaatschap van de band opgezegd omdat ze wat meer rust in haar leven wilde en meer thuis wilde zijn. Ze werd eindelijk volwassen, bedacht ze met een glimlach terwijl ze om zich heen keek. Ze hoefde niet langer op de vlucht te slaan voor zichzelf, want ze bleek het prima met haarzelf te kunnen vinden. Het werd wel tijd!

Een blik op haar horloge vertelde haar dat het ook hoog tijd was om naar haar werk te gaan. Ze was die ochtend heel vroeg naar haar nieuwe huis gegaan omdat ze in haar eentje de sfeer wilde proeven. Daar had ze nog geen kans voor gekregen met al die mensen die hier constant in en uit liepen om haar te helpen. Hoe blij ze daar ook om was, ze wilde toch een keertje alleen zijn voor het huis vol zou staan met meubels. Met een tevreden gevoel draaide ze de deur op het nachtslot. Haar leven was heerlijk op dit moment. Haar werk, dat een tijdje naar de achtergrond was verdwenen, nam haar weer volop in beslag, het nieuwe huis lonkte, ze voelde zich fit en vrolijk en had de laatste tijd geen last meer van ongeremde eetbuien. De angst voor nieuwe bedreigingen was naar de achtergrond verdwenen nu er zolang niets was gebeurd. Bovendien had ze haar vriendinnen op wie ze altijd terug kon vallen en, last but not least, Brian. Als ze aan hem dacht werd ze licht en blij van binnen, al wilde ze daar nog geen conclusies aan verbinden. Voorlopig deed ze het kalm aan op dat gebied, dan zag ze vanzelf wel wat er van kwam.

Na een opgewekte groet aan Sabrina verdween Eva in haar spreekkamer, waar al snel het eerste kindje van die dag zich aankondigde. Haar spreekuur verliep lekker vlot die dag. Ze mat hoofdjes op, luisterde naar longetjes, gaf vaccinaties en adviseerde jonge ouders met alle problemen waar ze mee worstelden. De laatste moeder die haar spreekkamer betrad was Viola. Caressa was inmiddels twee maanden en een vrolijke, gezonde baby. Nieuwsgierig keek ze vanaf de arm van haar moeder in het rond.

„Hallo, lieve schat." Eva nam haar van Viola over en knuffelde het kleintje uitgebreid. „Hè, heerlijk is dit toch," lachte ze. „De andere ouders stellen het meestal niet zo op prijs als ik hun kind begin te zoenen."

„Caressa vindt alles best," zei Viola opgeruimd. „Als het aan haar ligt, zit ze de hele dag bij iemand op schoot. Het is zo'n gezellig kindje." Met een mengeling van trots en tederheid keek ze naar haar baby.

„Ze ziet er ook prima uit," complimenteerde Eva haar. Ze wierp een blik op de kaart met gegevens, die Sabrina al in had gevuld. „Ze is ruim een pond aangekomen vergeleken met je vorige bezoek hier. Mooi hoor." Ze luisterde naar het hartje en de longetjes, bekeek de kleine ogen en oren en mat het hoofdje op en ze kon niet anders dan concluderen dat Caressa kerngezond was en zich goed ontwikkelde. Ook het eten gaf geen problemen, volgens Viola. Ze dronk keurig haar flesjes leeg, huilde weinig en sliep goed.

„Meid, je hebt gewoon een modelbaby," prees Eva. „Als ik dat vergelijk met sommige andere kinderen die hier komen, mag je je handjes dichtknijpen. Ik kan alleen maar hopen dat ik het ook nog eens zo tref."

„O, vertel eens." Viola ging er eens goed voor zitten. „Zijn er plannen in die richting?"

Eva schoot in de lach. „Dan zal ik toch eerst een man moeten vinden, er zijn nog altijd twee mensen voor nodig."

„Volgens mij is dat het probleem toch niet. Woon jij niet toevallig bij een leuke man in huis?" informeerde haar vriendin plagend.

„Die wil ik niet meteen de stuipen op het lijf jagen door over baby's te beginnen," grinnikte Eva. „Maar even serieus, zo ver zijn we nog lang niet. We hebben niets samen."

„Hoe is het mogelijk?" vroeg Viola zich hardop af. „Jullie kennen elkaar al een tijdje, wonen momenteel zelfs in één huis en een klein kind kan zien dat jullie gek op elkaar zijn." Eva bloosde diep bij die openhartige opmerking. „Ik mag hem graag," probeerde ze nonchalant te zeggen.

„Kom op, Eef, wie hou je nou voor de gek? Ik ken je langer dan vandaag, vergeet dat niet. Je bent stapelgek op Brian en dat is wederzijds, dus ik zie het probleem niet. Me dunkt dat je wel eens wat geluk verdiend hebt na dit alles."

„Met het risico dat het weer fout afloopt omdat ik me er overhaast instort? Nee, dank je wel. Voor ik ooit weer een relatie begin moet ik zeker weten dat het goed zit."

„Daar kom je pas tijdens de relatie achter," wist Viola stellig.

„Dat zegt Brian ook, maar ik wil in ieder geval zeker zijn van mezelf."

„O, dus jullie hebben er wel al over gepraat?" merkte Viola spits op.

„Natuurlijk. Hij is het overigens volledig met me eens. Ik heb nu vooral eerst wat tijd en rust nodig om tot mezelf te komen. Die hele nare periode ligt nu gelukkig achter me, het is tijd om aan mezelf te gaan werken en dat lukt me tot nu toe wonderwel," zei Eva opgewekt.

„Dat is waar. Het is lang geleden dat ik jou zo vrolijk en ontspannen heb meegemaakt. Misschien komt…"

Viola werd onderbroken omdat Sabrina zonder kloppen de spreekkamer in kwam lopen. Ze zag er geschrokken uit en Eva keek haar vragend aan. „Wat is er aan de hand?" vroeg ze. Het was niets voor de altijd zo kalme en correcte Sabrina om zo geagiteerd te doen.

„Je auto," hijgde Sabrina. „Er kwam net een man binnen die…"

„Wat is er met mijn auto?" Eva stond al bij de deur. Een angstig voorgevoel nam bezit van haar. Het zou toch niet weer allemaal van voren af aan beginnen? Ze vloog naar buiten, waar een groepje mensen zich al verzameld had op de plek waar haar wagen geparkeerd stond.

„Dat ziet er niet best uit," merkte een van de omstanders op. Vanaf de kant waar Eva aan kwam lopen, de passagierskant, was er niets te zien, maar toen ze eromheen liep en zag wat er aan de hand was, sloeg ze ontzet haar hand voor haar mond. Er liepen diepe krassen van voor naar achter, krassen die er met een scherp voorwerp expres in waren gebracht. Maar dat was niet alles. Met zwarte verf, die fel afstak tegen de rode lak, was in grote letters het woord 'moordenaar' over de zijkant gespoten. Eva sloot vertwijfeld haar ogen, hopend dat alles weer normaal zou zijn als ze die weer opendeed, maar toen ze even later keek grijnsde het hatelijke woord haar nog steeds toe. Duizelig greep ze zich vast aan het dak van haar auto.

„Hé, blijf erbij zus," riep iemand ruw. Ze werd door een vreemde man hardhandig beetgepakt, waardoor ze weer bij haar positieven kwam.

„Het gaat wel weer," stamelde ze. „Ik schrik hier alleen enorm van."

„Dat geloof ik best." Hij grijnsde even sensatiebelust. „Wie heb je om zeep geholpen?"

Sabrina wierp een vernietigende blik op hem. „Rot op," beet ze hem fel toe. „Kom mee naar binnen, Eva." Ze sloeg haar arm om Eva heen en leidde haar terug het medisch centrum in.

„Ik heb Brian gebeld, hij komt eraan," berichtte Viola. „Ga even zitten, meid." Ze schoof snel een stoel aan voor de trillende Eva.

„Heeft niemand iets gezien?" vroeg Sabrina in het algemeen. De man die haar was komen waarschuwen, schudde zijn hoofd. „Nee, ik in ieder geval niet. Ik fietste langs en zag die auto zo staan, daarom kwam ik naar binnen om te vragen of die soms van een van jullie is. Er was niemand in de buurt op dat moment."

„Nu in ieder geval wel," merkte Viola op terwijl ze naar buiten keek. Er stond nog steeds een groepje mensen op de stoep. „Ineens stromen ze van alle kanten toe, maar als het nodig is zie je niemand."

„Ik kan verder toch niet helpen, dus ik ga er weer vandoor," kondigde de man aan. „Het spijt me dat ik niets meer weet."

„In ieder geval bedankt voor de waarschuwing," bracht Eva met moeite uit.

Ze klappertandde en had het gevoel of ze nooit meer warm zou worden. De hele nachtmerrie begon dus gewoon opnieuw, net nu ze dacht dat ze het achter zich kon laten. Haar geheimzinnige bedreiger had opnieuw toegeslagen, want het was voor haar wel duidelijk dat er een verband moest zijn met de vorige vernielingen en de bebloede foto van de grafsteen die ze enige tijd geleden ontvangen had. Maar waarom had er dan zo'n tijd tussen gezeten? En waarom nu,

En waar sloeg die tekst op? Moordenaar, moordenaar, ze kreeg het woord niet uit haar hoofd. Het moest iets te maken hebben met de moord op Rutger, maar wat was het verband? Zij had tenslotte zijn dood niet op haar geweten. Albert, die ze had verdacht van alle vreemde gebeurtenissen die haar overkomen waren, kon het nu in ieder geval niet geweest zijn. Hij zat nog steeds in voorarrest in afwachting van zijn proces.

„Ik heb nooit gedacht dat hij zich hieraan schuldig maakte," zei Brian even later toen ze hem deelgenoot had gemaakt van haar verwarde gedachten. „Tenminste, niet meer sinds zijn arrestatie. Eerlijk gezegd heb ik ook geen enkel idee in welke richting we dan wel moeten zoeken, het spijt me."

„Ik kan het gewoon niet vatten," zei Eva hoofdschuddend. „Waarom? Wat is de achterliggende gedachte van de dader? Ik begrijp het niet."

„Dit soort mensen is ook niet te begrijpen. Helaas zijn ze ook moeilijk te betrappen, want ze weten over het algemeen precies wat ze doen. Vanaf de overkant word je aan het zicht onttrokken door die hoge bomen, dat heeft hij geweten. Waarschijnlijk heeft hij om de hoek staan wachten tot de kust helemaal veilig was en er niemand door de straat liep voor hij toesloeg. Niemand heeft iets gezien," zei Brian bedachtzaam.

„Wat dus betekent dat ik voortaan weer voortdurend over mijn schouder moet kijken," constateerde Eva bitter.

„Ik ben bang van wel. In ieder geval moet je uiterst voorzichtig zijn. Misschien is dit niet de juiste plek om het te bespreken, maar ik heb ook liever dat je voorlopig niet in je eentje gaat wonen. Niet voor die gek gepakt is. Je weet nooit waar dergelijke lui toe in staat zijn. Ze strijden niet met open vizier, daarom zijn ze des te gevaarlijker."

Eva luisterde zwijgend naar hem. Heel even kwam er een onwerkelijke gedachte in haar hoofd op. Zou Brian...? Hij wilde graag dat ze bij hem bleef wonen. Zou dit zijn middel zijn om dat doel te bereiken? Was hij iemand die koste wat kost zijn zin wilde hebben en daarbij geen enkele maatregel schuwde? Het klonk op dat moment niet eens zo heel vreemd in haar overspannen brein.

Maar nee. Ze schudde wild met haar hoofd. Niet Brian, dat kon ze echt niet geloven. Aan de andere kant zou ze een jaar geleden iedereen voor gek hebben verklaard die haar vertelde dat Rutger een drugsdealer en Albert een moordenaar was en ook dat was achteraf de waarheid gebleken. Tersluiks keek ze naar Brian, die met een strak gezicht met Sabrina stond te praten.

Nee, wist ze toen toch heel zeker. Brian zou ongetwijfeld zijn fouten en zijn tekortkomingen hebben, maar hij was te recht door zee om dergelijke dingen te doen. Ze zouden niet eens in zijn hoofd opkomen. Maar wie dan wel? Dat was een vraag die maar in haar hoofd rond bleef cirkelen. Met de beste wil van de wereld kon ze niemand verzinnen die haar zo haatte dat hij haar kapot wilde maken.

„Ga lekker naar huis," bood Sabrina aan. „Die bespreking van vanmiddag kan ik wel verzetten voor je."

Automatisch wilde Eva daarin toestemmen, maar plotseling strekte ze haar rug en keek fier om zich heen. „Absoluut niet," zei ze beslist. „Ik ben niet van plan om mijn leven nog langer te laten bepalen door die freak. Hij kan me niet breken, hoe hard hij dat ook probeert. Ik ga niet in een hoekje zitten wachten tot hij misschien een keer gepakt wordt, dat vertik ik. Ik ga gewoon aan het werk en ik blijf gewoon alles doen wat ik altijd deed. Wel wil ik graag gebruikmaken van jouw aanbod," vervolgde ze tegen Brian. „En bij je blijven wonen zolang we niet weten wie dit doet. Maar dat is dan ook de enige concessie die ik wil doen, ik wil me niet langer bang laten maken."

„Goed zo," zei Brian met een knikje in haar richting. „Zo ken ik je weer, als je maar niet te ver doorschiet in die houding, je moet alert blijven. Maar we pakken hem, dat beloof ik je."

„Als je nu ook maar wist wanneer," zei Eva nuchter terwijl ze opstond. „Enfin, er is werk aan de winkel. Ik heb straks een vergadering over een cursus EHBO voor kinderen die

...willen organiseren, een onderwerp dat deze maand ook
... ter sprake komt. Het is heel belangrijk dat
ouders we.... t ze moeten doen als er iets met hun kind
gebeurt."

„Hoe laat ben je klaar? Dan kom ik je ophalen," zei Brian
nog voor ze haar spreekkamer weer in liep. Met bewondering in zijn ogen keek hij haar na, maar ondertussen kneep
een wurgende angst zijn keel dicht. De hele situatie was zo
ongrijpbaar en onwerkelijk. Zelfs hij, als rechercheur, kon
er geen grip op krijgen en juist dat maakte het zo beangstigend. Hij wilde niets liever doen dan Eva beschermen tegen
het gevaar dat voor haar op de loer lag.

Ondanks alles ging Eva wel verder met het inrichten en
gezellig maken van haar nieuwe huis. Ze had er plezier in en
het bood haar voldoende afleiding nu. En het kon maar het
beste klaar zijn, oordeelde ze. Ze durfde op dit moment het
risico niet te nemen om er in haar eentje te gaan wonen,
maar als het af was, kon ze er tenminste direct intrekken
zodra haar belager gepakt was. Ze hoopte dat het snel zou
zijn, want ze verlangde ernaar om in haar eigen huis te
wonen, hoe gezellig het ook bij Brian was.
Ondanks haar resolute weigering om haar leven te laten
bepalen door iemand die het op haar gemunt had, kon ze
daar toch niet helemaal aan ontkomen. Buiten lette ze er
altijd goed op of iemand haar volgde, ze had haar mobiele
telefoon voortdurend bij de hand, ook 's nachts, en ze ging
's avonds niet in haar eentje de straat op. Zelfs in haar slaap
was ze alert, waardoor ze vaak wakker werd van geluiden
die in haar onderbewustzijn doordrongen. Al met al was het
een vermoeiende, zenuwslopende toestand. Soms vroeg ze
zich af of er ooit een einde aan zou komen.
Ruim een week na het incident met haar auto fietste ze na
een bezoekje aan Viola door het centrum van de stad. Vlak
bij het station moest ze afremmen voor een vrouw met een,
zo te zien, zware koffer die schuin het fietspad overstak. In
haar haast om de overkant te bereiken struikelde ze over

een losse steen en viel languit. Eva sprong onmiddellijk van haar fiets af om de vrouw te helpen.

„Heeft u zich bezeerd?" informeerde ze bezorgd.

„Nee, ik geloof het niet." De vrouw ging rechtop zitten en op dat moment klaarde haar gezicht op. „Hé, u bent toch de dokter van het consultatiebureau?"

Eva fronste haar wenkbrauwen en bekeek de vrouw nu met meer aandacht. Ze kwam haar bekend voor, maar ze kon het al wat oudere gezicht niet thuisbrengen. Ze was in ieder geval niet een jonge moeder die het consultatiebureau met haar kind bezocht.

„Ja," knikte ze. „En u bent? Sorry hoor, u komt me wel bekend voor, maar ik heb echt geen flauw idee waarvan."

„Mevrouw Huizinga," zei ze nu terwijl ze haar hand uitstak. „Ik ben de moeder van Michelle Huizinga, de oma van Leonie."

Plotseling herinnerde Eva het zich weer. Baby Leonie, die zo tragisch was overleden aan wiegendood en haar overbezorgde, jonge moeder. Ze had deze vrouw ontmoet toen ze een bezoekje aan Michelle wilde brengen, wist ze weer.

„Ach ja," zei ze dan ook terwijl ze mevrouw Huizinga overeind hielp en ze samen naar de stoep liepen. „Hoe is het nu met Michelle?"

Het gezicht tegenover haar betrok. „Nog steeds niet zo best," bekende ze. „Ze kan het verlies van Leonie niet verwerken. Eigenlijk doet ze niets anders dan op de bank zitten, voor zich uit staren en veel tv kijken. Af en toe heeft ze een uitbarsting of een flinke huilbui, maar daarna valt ze weer terug in haar apathische houding." Ze zuchtte diep. „Ja kind, het valt niet mee. Het verlies van Leonie was een vreselijke klap, voor ons allemaal, maar voor Michelle het meest. Ik woon in een andere stad, maar ik kom iedere week een paar dagen hierheen om haar huis schoon te maken en met haar te praten, maar ik heb niet het gevoel dat ik tot haar door kan dringen."

„Dat is een behoorlijk zware opgave voor u," begreep Eva meelevend.

„Ja, maar wat moet ik anders? Het is mijn kind en ik wil haar helpen. In december is ze heel erg ziek geweest, toen heeft ze vijf weken bij me gelogeerd. Twee weken geleden is ze weer naar haar eigen huis gegaan en ik hoopte dat ze nu de draad weer op kon pakken, maar daar ziet het nog steeds niet naar uit. Ze zou professionele hulp moeten hebben, maar ze wordt woedend als ik dat voorstel. Enfin, ik ratel maar door en ik wil jou niet met mijn zorgen belasten. Ik moet trouwens rennen om mijn trein nog te halen. Dank je wel voor je hulp."

„Niets te danken," zei Eva automatisch.

Ze gaven elkaar een hand ten afscheid en Eva staarde mevrouw Huizinga nog lang na, diep in gedachten verzonken. Langzaam maar zeker vielen alle puzzelstukjes op hun plaats. Eindelijk wist ze dan toch wie haar geheimzinnige belager was. Ze hadden al die tijd in de verkeerde richting gezocht.

HOOFDSTUK 18

„Ho, ho, kalmeer een beetje," verzocht Brian toen Eva opgewonden binnen kwam vallen met de mededeling dat ze ontdekt had wie haar belager was. „Wat ratel je nou allemaal?
Een moeder van je werk?"

„Het kan niet anders," riep Eva zenuwachtig uit. „Alles klopt
met elkaar. We zaten al die tijd helemaal verkeerd, het had
totaal niets te maken met Rutger of Albert."

„Doe nou alsjeblieft even rustig, kom zitten en vertel het
dan in chronologische volgorde, want voorlopig snap ik er
nog helemaal niets van," zei Brian.

Eva haalde diep adem en begon te vertellen van de tragedie
die Michelle overkomen was.

„Ze gaf mij de schuld," bekende ze. „Ze heeft zelfs een officiële aanklacht tegen me ingediend wegens nalatigheid,
maar die is ongegrond verklaard. Voor haar moet dat vreselijk frustrerend geweest zijn."

„Dat is nog geen reden om haar nu als schuldige aan te wijzen," meende Brian.

„In haar ogen ben ik de moordenaar van haar kind. Zegt dat
woord je nog iets?" hielp Eva hem fijntjes herinneren. „Er is
trouwens meer. Het blijkt nu dat ze wekenlang bij haar moeder heeft gelogeerd, precies die vijf weken waarin er niets
gebeurde. Het is duidelijk, Brian. Ze heeft de dood van
Leonie nooit kunnen verwerken, zag mij als hoofdschuldige
in dit drama en omdat haar aanklacht niet serieus genomen
werd is ze op haar eigen manier wraak gaan nemen."

„Het klinkt allemaal erg aannemelijk," moest Brian toegeven. „Toch zitten er nog een aantal hiaten in. Ten eerste de
tijdspanne. Er zitten maanden tussen het overlijden van
Leonie en de eerste aanval op jou."

„Daar zat ik ook eerst mee, maar zelfs daar is een verklaring
voor. Volgens haar moeder doet ze weinig anders dan tv kijken, dus ik denk dat ze mij in dat praatprogramma heeft
gezien. Het eerste incident, het lek steken van mijn banden,
vond nog geen week na die uitzending plaats. Ik denk dat ze

helemaal doordraaide toen ze mij op het scherm herkende en dat toen de gedachte zich in haar hoofd heeft vastgezet dat ze iets tegen me moest doen."

Brian knikte bedachtzaam. „Daar zit iets in. Het zijn echter geen bewijzen, alleen vermoedens en daar kunnen we weinig mee. In mijn werk heb ik vaak genoeg meegemaakt dat alle aanwijzingen één bepaalde kant uitgingen, maar dat de verdachte achteraf toch de dader niet bleek te zijn. Je moet heel erg oppassen met het uiten van dergelijke beschuldigingen."

„Nou, voor mij staat het vast," zei Eva resoluut. „Ik ben ook absoluut niet van plan om lijdzaam achterover te gaan zitten omdat er volgens jou geen harde bewijzen zijn. Die komen er ook nooit op deze manier. Ik ga naar haar toe." Ze stond al op voordat ze goed en wel uitgesproken was, maar Brian duwde haar meteen terug op de bank.

„Kalm aan, opgewonden standje. Verpest het nou niet door tekeer te gaan als de spreekwoordelijke olifant in de porseleinkast. We moeten dit voorzichtig aanpakken."

„Je bedoelt afwachten tot het te laat is," hoonde Eva.

„Nee, ik bedoel dat je eerst tot rust moet komen voor je Michelle hiermee confronteert," wees Brian haar terecht. „Ga weer zitten, neem een kop koffie en adem even normaal in en uit, dan gaan we straks naar haar toe. Dat uurtje verschil maakt ook niet uit."

„We?" herhaalde Eva. „Ga je mee?"

„Natuurlijk ga ik mee. Ik durf het risico niet te lopen om jou alleen te laten gaan," grinnikte Brian. „Weet je al hoe je het aan gaat pakken?"

„Ik wil haar gewoon zeggen dat ik weet waar ze mee bezig is," antwoordde Eva nadenkend. Hier had ze eigenlijk nog helemaal niet bij stilgestaan.

„Het is haar woord tegen het jouwe, vergeet dat niet," waarschuwde Brian. „Er zijn geen keiharde bewijzen en als zij zegt dat ze er niets mee te maken heeft sta je machteloos. Wil je trouwens een officiële aanklacht tegen haar indienen?"

Weer keek Eva hem hulpeloos aan, want ook hier had ze nog niet aan gedacht. „Ik wil gewoon dat het stopt."
Ondanks de ernst van de situatie schoot Brian hartelijk in de lach. „Nou, dat zal wel indruk maken. Oké, we zullen wel zien hoe het gesprek verloopt. Misschien is het verstandiger als je mij het woord laat doen."
„Zwaai maar een beetje met je legitimatiebewijs van de politie, dat helpt vast," adviseerde Eva hem.
Eenmaal op weg naar het huis van Michelle Huizinga zakte haar opgewonden stemming weg. Eigenlijk was het doodzielig, mijmerde ze. Dat Michelle de dader was, stond voor haar vast, maar ze kon er niet eens kwaad om zijn. Ze moest wel heel diep in de put zitten om haar toevlucht te nemen tot dergelijke praktijken. Bang was ze nu ook niet meer. Diep in haar hart kon ze zelfs begrip opbrengen voor de jonge moeder die haar wereld in had zien storten op het moment dat haar baby stopte met ademhalen. Onwillekeurig huiverde ze. Het gat waar Michelle in gevallen was, moest onnoemelijk diep zijn. Als alleenstaande moeder had ze het niet makkelijk gehad, maar al haar zorg, aandacht en liefde waren altijd voor Leonie geweest. Tot op het overdrevene af zelfs. Het overlijden van Leonie moest een enorme leegte achtergelaten hebben, zozeer zelfs dat Michelle niet meer rationeel kon denken en alleen maar belust was op wraak.
Achter Brians rug wachtte Eva tot de deur geopend werd. Michelle keek de voor haar vreemde man vragend aan, maar haar ogen in het bleke, smalle gezicht werden groot toen ze Eva achter hem vandaan zag komen.
„Jij!" hijgde ze. Even leek het of ze Eva aan wilde vliegen.
„We willen even met je praten, Michelle," zei Eva zo rustig mogelijk. „Mogen we binnenkomen?" Ze wachtte niet op antwoord, maar stapte zonder meer langs de jonge vrouw heen. Michelle kon niet anders doen dan hen volgen naar de huiskamer. „Wat kom je doen?" vroeg ze vijandig. „Heb je nog niet genoeg ellende aangericht?"
„Leonies dood was niet mijn schuld, maar een tragische

gebeurtenis die iedereen kan overkomen. Wat jij doet, is echter iets anders. Jij maakt bewust iemands leven kapot," ging Eva rechtstreeks tot de aanval over.

„Ik begrijp niet wat je bedoelt," mompelde Michelle. Aan het vernauwen van haar ogen en het verschieten van haar kleur, zag Eva echter al dat haar schot raak was geweest.

„Dat weet je maar al te goed," zei ze vriendelijk. Al haar woede was verdwenen bij het zien van deze vrouw, bijna een meisje nog, die zo stuurloos in het leven stond. „En er zijn bewijzen genoeg, dus je hoeft het niet te ontkennen."

Het laatste beetje kracht dat ze nog had, leek uit Michelle weg te vloeien bij deze woorden. Als een leeggelopen ballon liet ze zich op de bank zakken, haar handen voor haar gezicht geslagen. Na enige aarzeling ging Eva naast haar zitten en sloeg troostend een arm om Michelles schouder. Even verstarde ze en was Eva bang dat ze haar weg zou duwen, toen gaf ze het op. Tegen Eva's schouder aan huilde ze hartverscheurend.

„Ik mis haar zo!" snikte ze tussen twee huilbuien door. „Het leven is zo leeg en zinloos zonder Leonie. Ze was mijn alles. Ik kan het niet aan, echt niet. Steeds weer zie ik dat stille, blauw aangelopen gezichtje voor me en dan voel ik me weer schuldig omdat ik niet eerder bij haar was wezen kijken. Het was niet nodig geweest."

„Wiegendood is niet te voorkomen," zei Eva zacht. „Ook al was je er eerder bij geweest en had je haar op dat moment kunnen redden, dan nog weet niemand of het daarna niet alsnog gebeurd zou zijn. Dit zijn nou eenmaal dingen die gebeuren, hoe hard het ook is."

„Dat zegt iedereen, maar dat klinkt zo makkelijk. Ik kan niet accepteren dat ze zonder enige reden doodgegaan is."

„Dus zocht je een zondebok," concludeerde Eva. „Ik, in dit geval."

„Jij wilde Leonie niet doorsturen naar een specialist." Er blonk opnieuw woede in Michelles ogen bij die herinnering.

„Ook dat had Leonie niet gered, Michelle."

„Hoe weet je dat nou? Niemand kan zeggen hoe het dan gegaan was."

„Ik wel. Als een specialist haar had onderzocht, had hij haar meteen naar huis gestuurd omdat Leonie alleen maar verkouden was. Wiegendood is niet iets wat je aan kunt zien komen, het gebeurt plotseling en onverwachts en er zijn geen symptomen die er op voorhand op wijzen," zei Eva beslist. „Het enige wat in dat geval verschil had gemaakt, was dat je dan je verdriet op hem afgereageerd had in plaats van op mij."

Michelle boog haar hoofd. „Dat was ik niet echt van plan, niet meteen. Toen mijn aanklacht werd afgewezen probeerde ik dat te accepteren, echt waar. Maar later zag ik je op tv en toen…" Ze stokte en begon opnieuw te huilen. „Het was niet eerlijk. Het ging jou voor de wind, je had alles en ik had niets meer. Helemaal niets."

In de stille kamer klonk haar huilen hartverscheurend. Met medelijden in haar ogen keek Eva neer op het blonde hoofd, maar ze begreep wel dat alleen medelijden Michelle niet verder zou helpen.

„Als jij op zoek gaat naar professionele hulp, zal ik geen aanklacht bij de politie tegen je indienen," zei ze gedecideerd.

Michelle knikte stil, ze was op dat moment zelfs te moe en te lamgeslagen om te protesteren. „Ik beloof het," zei ze bijna onhoorbaar.

„Dat heb je goed opgelost," prees Brian later toen ze het huis van Michelle hadden verlaten. „Ik weet wat een ellende ze aangericht heeft, maar toch had ik medelijden met dat kind."

„Ik ook," knikte Eva. „Ik kon het niet over mijn hart verkrijgen om haar nog verder in de afgrond te storten door de politie op haar af te sturen. Toch doe ik dat wel als ze zich niet aan haar belofte houdt en ik denk dat ze die stok achter de deur ook hard nodig heeft."

„Volgens mij ziet ze nu zelf ook wel in dat ze hulp nodig heeft en dat is altijd de eerste stap op weg naar verbetering."

„In ieder geval ben ik blij dat dit opgelost is en alles achter me ligt," zei Eva opgelucht. „Nu kan ik het afgelopen jaar pas echt afsluiten en opnieuw beginnen."
„In je nieuwe huis," haakte Brian daarop in.
Van opzij keek Eva hem aan. Ja, in haar nieuwe huis. Hoezeer ze daar ook naar uitkeek, ze voelde toch ook iets van teleurstelling nu dat eindelijk ging gebeuren.

Alle meubels stonden er, er hingen schilderijen aan de muren, de kasten waren ingeruimd en de planten gaven het geheel een huiselijke sfeer. Bijna was het klaar, toch ontbrak er nog iets, vond Eva. Ze woonde nu een week in haar nieuwe huis en ze voelde zich er heerlijk. Ze was nog nooit zoveel thuis geweest als de afgelopen dagen het geval was. Vroeger wist ze nooit hoe snel ze haar stille flat moest ontvluchten, nu verlangde ze er juist naar om vanuit haar werk naar huis te gaan. Haar eigen plekje op deze woelige wereld. Zelfs de stilte benauwde haar niet. Jarenlang was het haar gewoonte geweest om direct als ze 's morgens uit bed stapte de televisie aan te zetten, zodat haar flat gevuld werd met geluid, maar ook daar had ze geen behoefte meer aan. Hooguit had ze af en toe een zacht achtergrondmuziekje aan, zoals nu het geval was.
Nadenkend keek ze om zich heen. Ze miste nog iets, maar wist zelf niet wat. Foto's, schoot het toen door haar heen. Ze bezat stapels foto's uit alle fases van haar leven, maar die zaten weggestopt in een oude doos, zoals ze ook altijd haar pijnlijke herinneringen weg had proberen te stoppen. Dat was niet langer nodig, wist ze. Alles wat ze mee had gemaakt, had haar gevormd tot wie ze nu was en daar was ze best tevreden mee.
Ze haalde de doos tevoorschijn en liet ze één voor één door haar handen gaan. Ze zag zichzelf weer terug als klein meisje, onbevangen in de camera blikkend, als onzekere puber, als verliefde zeventienjarige met haar hoofd tegen Rutgers schouder aangevlijd. De foto's van de periode daarna waren anders. Toen was haar gezicht smal en haar ogen donker

van verdriet. Nog weer later zag ze zichzelf steeds dikker worden. Er waren foto's van al haar vriendinnen, van Mark, van Rutger en van Albert. Van collega's, de band en de tennisclub. Van Caressa. Die laatste bekeek Eva met een glimlach op haar gezicht. Het was zo'n heerlijk kindje. Haar eerdere gevoelens van jaloezie ten opzichte van Viola waren gelukkig volledig verdwenen en ze gunde haar vriendin oprecht het geluk van het moederschap.

Plotseling kreeg Eva een idee. De muren in haar kleine halletje waren nog leeg en maagdelijk wit. Daar kon ze mooi een complete fotocollage maken van haar hele leven, dacht ze. Van baby af tot nu, met alles en iedereen die daarbij hoorde. Met dat doel voor ogen begon ze alle foto's uit de doos te sorteren. Haar ouders kregen uiteraard een plekje op de muur, evenals al haar vriendinnen en collega's. Met de afbeeldingen van Rutger en Albert in haar handen aarzelde ze. Ze behoorden ontegenzeggelijk allebei in haar levensverhaal thuis, dat wel.

Op dat moment klonk de bel door haar huis en even later kwam Brian binnen met een grote bos bloemen in zijn handen. Eva begroette hem blij, want ze had hem al dagen niet gezien.

„Ik dacht dat het beter was om je even met rust te laten," zei hij terwijl hij de bloemen op het aanrecht legde. „Ik kan me voorstellen dat je daar behoefte aan had."

„Jij bent altijd welkom," verzekerde Eva hem met klem.

Zijn ogen dwaalden over de tafel, die bezaaid lag met foto's en bleven haken op haar handen. „Ben je van plan de nare geesten uit je verleden ritueel te verbranden?" vroeg hij luchtig.

„Integendeel. Ik wil ze een plekje aan mijn muur geven." Eva vertelde hem wat ze bedacht had en hij knikte instemmend. „Dat lijkt me helemaal geen slecht idee, maar om Albert daar nou tussen te hangen? Vind je dat niet een beetje ver gaan?"

„Zonder Albert was ik met Rutger getrouwd en wie weet wat een ellende dat geworden was. Jij weet genoeg van dat wereldje af om te weten dat iemand zich daar niet zo makkelijk aan onttrekt," meende Eva.

„Dat is ook een manier om het te bekijken." Brian schoot in de lach. „Ik hou van de manier waarop jij altijd het positieve weet te bedenken. Die eigenschap was een tijdje ondergesneeuwd, maar gelukkig keert het weer terug." Hij monsterde de muur die ze wilde gebruiken. „Er kunnen heel wat foto's op. Is er ook nog een plekje voor mij op weggelegd, denk je?"

„Hm, misschien een heel kleintje. Een pasfoto," plaagde Eva hem.

Ze legde de foto van Rutger, waar ze nog steeds mee in haar handen stond, neer en terwijl ze naar zijn lachende afbeelding keek werd ze overspoeld door herinneringen. Ze zag hem voor zich als achttienjarige, onverschillige en stoere jongen en voelde weer lijfelijk de pijn die ze had ervaren bij het verbreken van hun relatie. Eenzelfde soort pijn had ze gevoeld na zijn overlijden. Ze was oprecht verdrietig geweest toen, hoewel ze zich niet lang daarna al had gerealiseerd dat hij toch niet de ware voor haar was geweest. Hoe kon een mens dat ooit zeker weten? Van Rutgers lachende gezicht keek ze naar dat van Brian. Ze probeerde zich voor te stellen hoe ze zich zou voelen als hem iets dergelijks zou overkomen. Het koude zweet brak haar uit bij die gedachte en ze werd misselijk bij alleen maar het idee.

En ineens wist ze het, zomaar. Zonder Brian zou haar eigen leven totaal geen glans meer hebben. Al het goede wat ze bezat zou in het niet vallen als hij er geen deel van uitmaakte. Het was zo simpel en tegelijkertijd zo waar dat ze er zelf verbaasd van stond. Dat was dus liefde, de wetenschap dat je leven niets meer waard was zonder die ene, speciale persoon.

De ontdekking was zo veelomvattend dat ze zich helemaal licht en zweverig voelde worden. Met een glimlach om haar mond liep ze op Brian toe en spontaan sloeg ze haar armen om zijn nek. De blik in haar ogen was zo veelzeggend dat hij met een scherp geluid zijn adem even inhield. Als vanzelf gleden zijn handen over haar rug.

„Voor jou is de ereplaats op de muur weggelegd," sprak Eva innig met haar ogen diep in de zijne. „Niet alleen op de muur trouwens, ook in mijn hart en in mijn leven."